O URUGUAIO
SEGUIDO DE
A INTERNACIONAL ARGENTINA

COPI

O URUGUAIO
SEGUIDO DE
A INTERNACIONAL ARGENTINA

Tradução
CARLITO AZEVEDO

Posfácio
ALVARO COSTA E SILVA

Título original
L'URUGUAYEN
L'INTERNATIONALE ARGENTINE

Copyright de L'URUGUAYEN © Christian Bourgois Éditeur, 1972, 1999.
Copyright de L'INTERNATIONALE ARGENTINE © herdeiros de Copi, 1979.

Todos os direitos reservados.

Direitos desta edição reservados à
EDITORA ROCCO LTDA.
Av. Presidente Wilson, 231 – 8º andar
20030-021 – Rio de Janeiro – RJ
Tel.: (21) 3525-2000 – Fax: (21) 3525-2001
rocco@rocco.com.br
www.rocco.com.br

Printed in Brazil/Impresso no Brasil

coordenação da coleção
JOCA REINERS TERRON

preparação de originais
JULIA WÄHMANN

CIP-Brasil. Catalogação na fonte.
Sindicato Nacional dos Editores de Livros, RJ.

C789u Copi
O uruguaio, seguido de A Internacional Argentina/
Copi; tradução de Carlito Azevedo. – 1ª ed. –
Rio de Janeiro: Rocco, 2015.
(Otra língua)

Tradução de: L' Uruguayen y l'Internationale Argentine
ISBN 978-85-325-2983-1

1. Ficção argentina. I. Azevedo, Carlito. II. Título.
III. Série.

15-20799

CDD–868.99323
CDU–821.134.2(82)-3

Sumário

O uruguaio ... 7

A Internacional Argentina ... 57

Um argentino de Paris,
por Alvaro Costa e Silva ... 197

O URUGUAIO

A Roberto Plate

Querido Mestre,

Você sem dúvida se surpreenderá por receber notícias minhas de uma cidade tão distante como Montevidéu. A razão pela qual me encontro aqui, vou logo confessando, me foge. Se me permito dirigir-lhe esta carta, sem dúvida irritante, é na esperança de que me leia, já que não tenho nenhuma de lhe narrar o que quer que seja: não o ofenderei pensando que minha história pode lhe interessar mais do que a mim. Eu lhe serei, desse modo, imensamente grato se, sacando sua caneta do bolso, riscar tudo o que vou escrever à medida que for lendo. Graças a esse simples artifício, ao final da leitura irá restar tão pouco desse livro na sua memória quanto na minha, já que, como deve, provavelmente, ter suspeitado, quase não tenho mais memória. Eu o imagino com sua caneta na mão, hesitando, visto que a frase precedente apresenta muitos eixos a partir dos quais se pode começar a riscar; hesito também. Deixo essa decisão ao seu livre-arbítrio. Ao escrever, me dou conta de que certas frases me causam estranhamento, como essa que precede ("Deixo essa decisão etc."), sem dúvida porque, nesses últimos tempos, tenho praticado muito mais a língua que se fala por aqui do que o francês, e talvez seja mais difícil do que eu pensava retornar a uma linguagem normal. Rogo-lhe, pois, que perdoe algum rodeio meu. O país se chama República Oriental do Uruguai. O Uruguai é um rio que se encontra, naturalmente, a ocidente da República, e seu nome, em índio, poderia ser traduzido por a República (URU) que está no oriente (GUAY). Aqui surge a primeira bizarria. A segunda é esta: a cidade se chama Montevidéu, e eles explicam com tranquilidade que isto em português quer dizer: eu vi o monte[1]. Continuo escrevendo e suponho que já tenha lido e riscado esta chamada para nota, o que não é cem por cento seguro, já que há uma certa categoria de leitores – longe de mim censurá-los – que leem ao pé da página todas as notas ao mesmo tempo. Você certamente ficou chateado com essa minha ideia de fazer sozinho uma viagem tão longa. Deveria, sei disso muito bem, tê-lo trazido comigo em lugar de fugir como um ladrão. Agora está feito, e aproveito para confessar que o que me incomoda em você, e que teria tornado insuportável sua companhia nesta viagem, é sua mania de parar a cada momento para tomar notas do que vê, como em nossa ida à Normandia, quando terminei meus estudos. Antes, eu conseguia tolerar, mas agora uma coisa

---

[1] VIDE O MONTE então, mesmo se aceitássemos uma explicação tão delirante, a cidade deveria se chamar Videomonte, e não Montevidéu.

assim, para ser bem franco, me faria espumar de raiva. Risque furiosamente. Ao entrar no porto não se pode deixar de ver o monte que domina a cidade. É uma convenção: o monte nunca existiu. Essa espécie de rebento ridículo de cão que eu levava comigo não parou de latir junto aos outros turistas: "Montevidéu!" ao ver não sei que laranja que flutuava entre duas ondas igualmente oleosas. Eu sei que você gosta de metáforas. Como sei que essa frase você deve ter riscado com melancolia. Laranja entre duas ondas oleosas... e você imagina já o monte e se diz: é como se o tivesse realmente visto. Ah, como sigo o ritmo de sua caneta quando risca minhas frases, querido Mestre! Chore, velho idiota, nunca mais estarei com você. Nada disso impede que Montevidéu seja agradável. As ruas, os espaços verdes, a areia, o mar. Não tenho mais vontade de escrever. Desanima estar tão longe de você. Nunca saberei em que momento lerá estas palavras nem onde estarei eu então. Prometa-me que já riscou tudo até agora. Até amanhã e a seus pés. Copi. Hoje não tenho nenhuma vontade de escrever para você. Vou passear pelas dunas com meu cão Lambetta, lançarei pedaços de madeira seca entre as ondas e ele ficará encantado, indo buscá-los e devolvendo-os para mim encharcados. Somos muitos por aqui os que fazemos isso, mas é tão grande o espaço que não nos incomodamos uns aos outros. Os cães nos aborrecem apenas quando, bem ao nosso lado, se sacodem para se livrar da água que lhes adere ao pelo; não sei se você já esteve alguma vez do lado de um cachorro molhado que se sacode, é como uma chuva viva e insuportavelmente irritante; é coisa que nos faz ponderar o contrapeso do prazer que se experimenta ao lançar um pedaço de madeira entre as ondas. Também agrada muito aos cães um jogo bem singular que consiste em correr muito velozmente ao longo de uma linha de demarcação entre o mar e a areia, ora molhando as patas, ora afundando-as brevemente na areia que a elas adere, graças à água que já as cobre, sendo a dita areia lavada pela água do mar assim que eles a roçam, e assim sucessivamente, às vezes em duplas (os cães) e às vezes sozinhos. Mas aqui me detenho porque isto se torna rapidamente sistemático. Você me dirá agora: esqueça os cães, sente-se sobre uma duna, acenda um cigarro fazendo um anteparo contra o vento com as mãos em concha e pense em outra coisa. Suspeito que você teve um cão em sua juventude, essa é uma típica ideia de um dono de cão, Mestre. Imbecil. Suspeito até que vai riscar todos os insultos desta carta antes de reler. Não vai sobrar nada dela, você sabe. Imbecil. Risquei por mim mesmo tudo o que se segue à palavra Copi. Não encontrei minha linguagem de ontem. Vou passear. Aqui as pessoas estão dispostas de maneira diferente segundo os bairros (um bairro se chama um cuarto, que quer dizer também dormitório). Há cuartos em que não há nem casas e que me parecem os mais interessantes, já que a disposição das pessoas (pessoas: jujo em uruguaio) parece a mais flutuante. Cada pessoa ocupa um lugar em um bairro qualquer da cidade, mas seus lugares variam consideravelmente de dimensão. Por exemplo, uma árvore pode ser um lugar da mesma maneira que um metro quadrado de calçada, que dez metros quadrados de calçada, que um banco num carro, e até um cavalo inteiro ou parte desse cavalo; enfim, tudo pode ser um lugar a partir do momento em que eles possam defini-lo com uma palavra. E isso não lhes custa nada, acredite. Não param de inventar palavras que lhes passam pela cabeça. Se um deles me visse escrever neste momento (me escondo para escrever) poderia inventar uma palavra para nomear meu caderno, minha caneta e a mim mesmo (digo poderia, mas estou seguro de que o faria) e esta palavra se converteria automaticamente em um lugar que ele ocuparia no ato, deixando-me, de certa forma, de fora. Um lugar pode ser ocupado fisicamente (no caso que acabo de citar isto teria sido impossível, é claro) ou sensorialmente. Há uma palavra para dizer eu me sinto no meu lugar e esta palavra é precisamente o nome da cidade: Montevidéu. Às vezes ocorre de se encontrarem em situações totalmente ridículas, por exemplo, naquele caso em que vários deles passam a gritar ao mesmo tempo: Montevidéu! Isso, para eles, define um bairro, e se sentem obrigados a explicar o lugar de cada um para poder delimitar o bairro. A maioria das vezes suas discussões não levam a nada (suspeito que mentem com muita frequência, apesar de a palavra mentir não existir em seu vocabulário) (na verdade, não se servem nunca de nenhum verbo), pois todos têm a pretensão de ocupar um lugar maior (imponente) que o do seu vizinho, quer dizer, um lugar que compreende um maior número de elementos (por exemplo, um pão, uma mesa, uma cadeira e um garfo) que outro lugar que não tivesse senão a metade do pão (muitas vezes o do vizinho, de resto), um garfo torcido e uma pequenina ponta de salsicha (chamam-na de sassassa), enquanto um terceiro vizinho acha que seu lugar compreende o pão, a metade do pão (que já se encontra em litígio), o garfo, a metade desse garfo, um salsichão, um cubo de açúcar e um jardim, digamos. Certa vez ouvi alguém dizer que seu lugar compreendia o mar e a terra, discutindo com outro que assegurava que seu lugar compreendia todos os mares e todas as terras, ao que o primeiro respondeu: papá! o que em uruguaio quer dizer (descobri mais tarde:) a terra (compreendendo aí a terra e todos os mares e todas as terras) enquanto um terceiro, que até então tinha permanecido calado, gritou de súbito: sistema solar! E um quarto, no mesmo instante, disse: sississi! (sistema em uruguaio). Eles consideraram evidente que este último é que tinha ganhado o bairro e os outros tiveram que se mudar imediatamente. Aquele que ganha um bairro fica confinado nele para sempre, a menos que consiga escapar, o que é extremamente difícil. O que mais me incomoda neles é que não têm cheiro nenhum. Lambetta se sente desnorteado. Como não tem nada nem ninguém para cheirar, finge que cheira a areia e inventa odores. Isto nos primeiros dias, mas agora já não se recorda nem do que seja um odor, e já não cheira nada e, pobrezinho, se contenta com o que vê, como a madeira que vai e vem em sua boca e no ar indefinidamente entre minha mão direita e o mar. Não devia ter trazido meu cão comigo, ele se sente muito infeliz. Ah, se o tivesse deixado com você para que tomasse conta dele, Mestre. Há tantas coisas para a delícia do olfato em sua casa, suas roupas velhas, seus peidos, sua varanda, o carvalho da sua mesa, seu próprio cheiro, suas couves-flores impregnando tudo com esse cheiro impertinente que destilam quando fervidas, enquanto você toma as últimas notas de um tranquilo dia de outono, com seu apetite se abrindo cada vez mais, como uma couve-flor, dentro de seu estômago, salivando com a boca fechada. Meu pobre Lambetta lhe seria até muito grato se tivesse podido lamber-lhe a mão esquerda sem impedi-lo, contudo, de escrever com a direita. Para eles eu não sou ninguém ou quase ninguém. Entre eles é parecido. Vivem com o terror de que alguém grite Montevidéu ao mesmo tempo que eles, pois correriam o risco de se encontrarem com um bairro debaixo do braço, o que para eles é uma desonra, pois nesse momento qualquer um poderia tomá-los por um lugar, já que são considerados mortos. O caso é que (e isto é realmente delirante) só podem ser tomados inteiros, nunca por partes. Se o bairro (quer dizer, o morto) contém um cão, uma casinha, um jardinzinho, uma louça limpa ou não, e quem sabe o próprio morto, ninguém pode tomar para si nem a louça nem o jardinzinho etc., deixando o resto de lado, deve tomar tudo. Os lugares, à medida que as pessoas vão morrendo, vão ficando cada vez mais estranhos e complexos e há lugares (mortos) que compreendem centenas de lugares (mortos) e ninguém quer tomá-los e só o fará se for forçado a isso, pois corre o risco de ter um bairro e consequentemente estar morto (!). Os velhos são os que geralmente morrem mais vezes, mas conheci um menino de 7 anos que tinha morrido 47 vezes; cumpre, contudo, dizer que não tinha o ar lá muito saudável. É uma espécie de herói nacional, pelo que entendi, pois está sempre sentado sobre o pedestal de uma estátua jogando bilboquê, e os passantes o aplaudem quando passam pela praça (a estátua, quer dizer o menino, está bem no centro da praça) e quando, em meu péssimo uruguaio, perguntei a um passante a razão daqueles aplausos, ele me respondeu niño rico-rico, quer dizer menino muito rico, o que quer dizer que ele é proprietário de inúmeros bairros e, portanto, uma esperança para o país, já que (esta é sua religião) eles esperam que um dos seus chegue um dia a ser proprietário de todo o Uruguai. O que, sem dúvida, lhe pouparia muitos aborrecimentos. Não falta certa elegância a alguns de seus costumes. Por exemplo, a cerimônia para exorcizar seus duplos. É essa a sua única distração e um dos raros momentos em que os vi, se não rir, ao menos sorrir juntos. A coisa se passa assim: reúnem-se de dez a quinze deles (o número pouco importa) e então delimitam, desenhando na areia (preferem as dunas), com um pedaço de madeira, o que eles chamam de mapa-múndi, quer dizer: o primeiro desenho que lhes passa pela cabeça. Depois se posicionam no interior do desenho da maneira que lhes parecer mais adequada ao seu estado de espírito, por exemplo: um deles se fantasia de cantora muda de ópera (quer dizer, não importa o quê) e abre a boca com os braços em cruz num ponto qualquer no interior do desenho; um segundo se fantasia de dentista pensador, o que quer dizer que ele fica observando o interior da boca do primeiro com ar concentrado; um terceiro, de gargalhador, o que quer dizer que fica olhando os dois primeiros e arrebenta de rir cada vez que seu olhar passa de um para o outro; um quarto, de tossidor, o que quer dizer que tosse a cada vez que o terceiro começa a rir; um quinto bate nas costas do quarto cada vez que esse é tomado por um acesso de tosse; um sexto sodomiza o quinto (sim, você leu direito); um sétimo os aponta com o dedo (aponta para o sexto e o quinto) com ar de reprovação; um oitavo aponta para o sétimo com o dedo, repetindo, sem parar, moralista, moralista; um nono observa tudo (os oito primeiros) a certa distância, sem expressão particular; e um décimo faz a limpeza, quer dizer, sacode a poeira (dos nove restantes) servindo-se de um espanador ou de um trapo úmido. E aí começa a distração. Quando um deles tem um momento de distração (é fácil distingui-lo uma vez habituado com o jogo), os nove restantes riem. Explicado desse modo, parece um jogo idiota, mas jogá-lo acaba sendo muito divertido, sobretudo quando os momentos de distração se prolongam por vários minutos. Eu mesmo já joguei muitas vezes e me diverti muito; assim como meu cão, que adora o jogo, já que ganha quase sempre por ser naturalmente pouco distraído. Os uruguaios pronunciam em média três palavras por dia[2], alguns pronunciam sempre a mesma palavra, outros permanecem resolutamente mudos. Quando dois deles pronunciam habitualmente a mesma palavra (pouco importa a palavra) se convertem em "irmãos de sangue", quer dizer, que pertencem a uma formação política e são fuzilados de imediato. Esta é a origem, creio eu, da mania de inventar palavras cada vez mais complicadas. Ontem mesmo ocorreu comigo um incidente lamentável demais que ilustra bem essa mania. Entrei numa loja com meu cão. Tinha ido até lá para comprar cigarros e meu cão foi junto para me acompanhar (não é um grande fumante). Esqueci o que ia contar. Ah, sim. Pedi cigarros (pitillo) e um segundo uruguaio que tinha entrado bem depois de mim pronunciou, ao mesmo tempo, a palavra "pitillo" (piroca. Cigarro e piroca têm o mesmo nome. Na verdade, o que ele queria era deitar-se com a dona da loja, uma negra que, de resto, não era de se jogar fora). A dona da loja ficou estupefata. Olhei para meu companheiro de palavra que, um tanto confu-

---

[2] (e olhe lá!)

so, deixou cair sua dentadura no chão. Abaixei-me para apanhá-la. Ele também se abaixou e tomou meu cão em seu colo (mais tarde julguei entender que ele pensava que eu queria trocar sua dentadura por meu cão). Ficamos ali nos olhando, os três, a mulher com um pacote de cigarros na mão, ele com meu cão no colo, eu com a dentadura, que segurava com a ponta dos dedos. "Pitillo?", disse ao fim de alguns instantes a mulher, em tom desconfiado. Não me atrevia a pronunciar palavra com medo de que o outro a pronunciasse ao mesmo tempo e aí sim é que estaríamos fritos. "Pitillo?", repetiu a mulher, ao que me pus a rir de um jeito forçado repetindo "no pitillo, no pitillo", mas via que o outro uruguaio, pálido como cera, estava a ponto de desmaiar. A mulher então ficou bastante agressiva: "Irmãos? Irmãos?", ela disse, apontando o dedo primeiro para um e depois para o outro. "Não, não, no hermanos", eu disse. Imediatamente saí da loja fazendo estalar a dentadura e me afastei sem olhar para trás. Um minuto depois meu cão veio se juntar a mim. Com um olho (de) estropiado! Esses porcos estropiaram-lhe um olho! Quem teria feito isso? A mulher, o cliente suspeito, ou os outros clientes da loja? Nunca saberei. Acho que forçaram o cliente suspeito a estropiar o olho de meu cão. Pobre homem. Ainda tenho sua dentadura no meu bolso. Talvez o tenham fuzilado na calçada. E se meu cão ainda vive é porque devem ter pensado que vê-lo com um olho estropiado me doeria mais que vê-lo morto (sabem que os estrangeiros temem mais as mutilações do que a morte) e dou graças aos céus por isso. Neste ponto tenho que deixá-lo, querido Mestre, até amanhã, pois meu cão está me mordiscando os dedos dos pés, o que para ele quer dizer: é tarde, vamos dormir, e desde que virou um cão caolho não me atrevo a contrariá-lo. Obrigou-me inclusive a comprar-lhe para o olho vazado uma venda negra que lhe cai, diga-se de passagem, muito bem. Os cães são de uma coqueteria que nos desarma. Até amanhã, velho idiota. Bom-dia, imbecil. Espero que tenha riscado tudo o que escrevi até aqui, sobretudo a história da venda e do cão, não se deixe enternecer por isso, velho idiota. Ciao, Mestre, hoje não tenho vontade de lhe escrever. Olá, Mestre. Dei uma volta rápida pela praia e perdi meu cão. Ele cavou um poço na areia com as patas dianteiras e ia lançando a areia para trás com as patas traseiras (os cães fazem isso muito frequentemente), de modo que à sua frente o poço ia se tornando cada vez mais profundo e atrás dele uma montanha de areia ia aumentando paralelamente de volume. Distraí-me dois segundos e, quando tornei a olhar, vi que a montanha de areia estava enorme. Aproximei-me: o poço não tinha fundo e meu cão havia desaparecido ali dentro. Chamei por ele aos berros, mas não havia o que fazer. Que se dane, comprarei outro. Os cães uruguaios não são mais bobos que os ocidentais. Voltando da praia me dei conta de que as ruas tinham mudado de lugar, bem, não era exatamente isso, vou tentar lhe explicar. A areia invadiu certas ruas (o vento aqui não para nunca e as dunas não param de mudar de lugar) e empurrou certas casas, que se acham quase cobertas de areia, para o meio do que tinha sido uma rua. Ao tentar encontrar meu caminho, tropecei em um galho: era a copa de uma árvore de cinco metros (eu a reconheci pela disposição de três ninhos de pássaros nos quais havia reparado anteriormente). Bati na janela de um terceiro andar para pedir informação: ninguém respondeu. Por todo lado: chaminés, galhos, os andares mais altos das casas mais altas, até uma carroceria de automóvel (me pergunto como foi parar ali), mas nem uma única alma viva. Dava para pensar que eu era o único sobrevivente de uma catástrofe nuclear e que eu tinha sido salvo milagrosamente por estar na praia no momento da explosão, mas isso tem pouca lógica. Uma explosão nuclear, se bem me lembro do que li em jornais franceses, arrasa quase tudo, mas não deposita areia sobre toda uma cidade. Além disso, teria ouvido o barulho da explosão. Uma espécie de tornado, talvez? Em todo caso, estou bem contente por ter encontrado meu quartinho de empregada miraculosamente intacto, ainda que a areia chegue até a beira da janela, e, em meu quarto, a sua carta, que eu já tinha começado a escrever e que espero que você fielmente tenha riscado até aqui. Vê-se que eu tinha razão ao lhe pedir que riscasse tudo: o Uruguai subitamente se transformou de tal modo que tudo o que vinha contando já caducou. Agora (chamemos as coisas pelo nome) me encontro em meio a um deserto de areia dominado por um monte igualmente deserto. Roí alguns ossos de meu pobre cão morto, embora nem estivesse com tanta fome. Não tenho sede. Vou dormir, aqui não há grande coisa para fazer. Até amanhã, velho. Olá, velhaco. Dei uma volta pela cidade e fui até a praia com a vaga esperança de encontrar meu cão[3]. Construí um castelo de areia ao lado do buraco em que ele desapareceu e cravei sobre a torre uma pequena bandeira que confeccionei com um galho e uma de minhas meias tricolores. Ele teria apreciado muito, eu acho. Quando voltava, encontrei um cadáver, o da mulher negra da loja, nua com saltos altos e a garganta cortada. A princípio pensei em enterrá-la na areia, mas me pareceu ridículo enterrá-la a um metro do solo quando todos os seus concidadãos estão sepultados a dez ou quinze metros, e optei por deixá-la ali. Por pudor, lancei dois punhados de areia sobre seu sexo entreaberto. Tentei imaginar como era a cidade antes da catástrofe, mas é quase impossível, já que são muito poucos os pontos de referência que tenho: estátuas, árvores, telhados das casas mais altas, alguns para-raios. Como não tenho nada o que fazer, e para passar o tempo, desenhei, na areia, com um pedaço de madeira, o lugar das calçadas, das ruas, das casas, dos pedestres, dos cães, dos carros, e circulo unicamente pelas ruas e pelas calçadas. Cada vez que encontro um pedestre (estão bastante bem desenhados,

---

[3] Os limites entre a praia e a cidade são agora imaginários, evidentemente.

levando-se em conta que os vejo de cima) digo bom-dia, senhora, bom-dia, senhor, ou então que belo cãozinho você tem aí. Tive até uma conversa muito animada com uma senhora a quem elogiei pelo decote e que sorriu para mim (tive que imaginar o seu sorriso, já que seu chapéu a cobria totalmente). Para atravessar as ruas, deslizo entre os carros e tive a má sorte de esbarrar num para-choque que quase apaguei e precisei redesenhar. Hoje soprou um vento leve que apagou um pouco meus desenhos de ontem e como não tinha muita vontade de tornar a desenhar tudo, apenas escrevi o nome de cada objeto ou pessoa com letras grandes sobre eles. Por exemplo, escrevi carro sobre os carros, Mimi sobre o chapéu da senhora que sorriu para mim, as acácias sobre uma casa, carvalho sobre uma árvore etc. Tive alguma dificuldade com os quarteirões de casas que contêm numerosos detalhes no desenho e hesitei entre escrever em caracteres excepcionalmente grandes (arrastando um tronco de árvore) "quarteirão de casas" sobre um quarteirão inteiro de casas, o que teria apagado muitos detalhes, ou então escrevê-lo em tamanho pequeno numa esquina. Estava sentado no chão, refletindo sobre esse problema quando vi, à minha esquerda, meio coberto de areia, um frango assado. Nem preciso dizer que não desperdicei a ocasião (passei seis dias sem comer) e corri até o mar para lavá-lo um pouco da areia. Devorei-o antes mesmo de sair do mar, entre as ondas. Isso levantou um pouco meu moral e andei ao longo da praia até o túmulo de meu cão para descansar um pouco. Surpresa! O buraco ampliou-se consideravelmente e agora tem quase cinquenta metros de diâmetro; está cheio até a borda de frangos que fazem um ruído infernal. Naturalmente os que estão por cima se salvam do poço e correm para... ia dizer a cidade, enfim, correm para meu desenho. Passei horas olhando para o poço de frangos que parecia inesgotável. Isso resolvia, ao menos temporariamente, meu problema de abastecimento. Essa raça de frangos vive e morre com uma rapidez extraordinária. Há os que se convertem em frangos assados, em frangos frios e até em carcaças de frango antes mesmo de sair do poço e são pisados pelos outros (é muito desagradável, devo dizê-lo). Os que conseguem sair vivos se precipitam para a cidade pondo ovos a cada três ou quatro metros sem parar sequer para dar uma espiada neles. Vi uma galinha virar frango assado a não mais que três metros do ovo que acabara de botar. Quanto aos ovos, quebram imediatamente e deles sai um franguinho que corre a toda velocidade para a cidade. Alguns ovos, partindo-se, revelam um ovo frito que treme durante alguns instantes como uma ostra e depois morre. Esse bando de porcos deixou minha cidade num estado repulsivo em menos de três horas. Dois ovos quebrados sobre o chapéu de Mimi, as calçadas cobertas de merda, carcaças apodrecidas nos ninhos que eu havia desenhado nas árvores. Até amanhã, velho idiota. Olá, imbecil. Esta manhã um iate de turistas argentinos atracou na costa e eles me perguntaram se eu precisava de algo, respondi que não. Quando se foram me dei conta de que poderia lhes ter dado esta carta, mas agora é tarde demais. O mar avançou quase um quilômetro. Tive que correr para não ser alcançado pelas ondas. Os frangos flutuam sobre elas e parecem mais felizes, muito menos apressados e histéricos que ontem. O mar demorou três dias para se retirar calmamente, levando consigo toda a areia; e a cidade de Montevidéu ainda estava ali, coberta de cadáveres. Ontem à tarde ouvi o ruído de um motor, saltei de minha cama e olhei pela janela: era um caminhão da Prefeitura (Municipalidad) que vinha recolher os cadáveres. Aterrorizou-me a ideia de ser colocado no caminhão junto com os outros e passei o resto da noite escondido embaixo da cama apesar de em nenhum momento os ter ouvido entrar na casa. Quando finalmente adormeci, tive um sonho estranho que contarei mais tarde, pois o despertar é que foi muito mais interessante. Meu quarto tinha sido literalmente invadido por militares, alguns estavam sentados em minha cama, outros caminhavam para lá e para cá entre o lavabo e o armário, chocando-se às vezes contra as paredes, havia até quatro deles sentados sobre o armário e dois em seu interior; todos fumavam havanas enormes e não paravam de falar, todos ao mesmo tempo. Timidamente, saí de debaixo da cama e então se calaram. Tinham vindo apertar a minha mão, um depois do outro, alguns até me deram beijos na face. Uma menina de uns 6 anos entrou com meu cão empalhado nos braços e o deu para mim. Quanto o tomei, eles todos foram embora em silêncio. Não compreendi absolutamente nada da cerimônia, nem como encontraram o cadáver de meu cão, nem por que vinham entregá-lo a mim. Em todo caso, pareciam tão cordiais que pensei que não devia me inquietar; coloquei meu cão empalhado sobre a lareira, fui ao banheiro e saí para a rua como todos os dias. Isso não mudou tanto comparado com o tempo anterior à catástrofe, excetuando que toda a gente está morta e empalhada. Você vai me dizer que essa é uma diferença notável, mas como nunca tive verdadeiras relações com eles, ao fim de cinco minutos me habituei perfeitamente com isso. Devo lhe dizer que a maneira como estão dispostos é bastante grosseira (logo eles que eram tão meticulosos na escolha de seus lugares!), veem-se, às vezes, montanhas de cadáveres na esquina de uma rua, alguns jogados sobre os tetos dos automóveis, cheguei a ver alguns presos nas árvores, e os que estão pendurados na janelas estão às vezes postos de cabeça para baixo, o que quer dizer que tudo o que se vê da rua são suas pernas e sapatos. Dir-se-ia que esse trabalho foi feito com pressa e sem convicção. Ao chegar à loja (a mulher negra estava empalhada, debruçada sobre o mostrador) tive a surpresa de encontrar a menina que havia poucos instantes tinha me dado o cão, a qual, vendo-me ali, foi tomada por uma crise de riso louca e se escondeu atrás do balcão. Peguei um pacote de gauloises e deixei um franco e cinquenta (três pesos e dez) sobre a barriga da mulher negra, depois saí dali e fui à praia (fazia um tempo esplêndido). Ali, encontrei meus amigos militares desta manhã ocupados em medir o poço dos frangos (o que tinha sido o túmulo de meu Lambetta) com cordas. Receberam-me com manifestações de alegria e me ofereceram cigarros. Recusei de forma polida e parece que isso os divertiu, pois começaram a rolar de rir no chão, sobretudo quando me viram acender um gauloise. Quando se acalmaram um pouco, perguntei: "Por qué catástrofe?" apontando para o poço. Ficaram brancos como a neve. Finalmente, um deles deu um passo para frente e sussurrou em minha orelha: "Yo soy el Presidente de la República Oriental" e, me pegando pelo braço, levou-me na direção do mar. Ao chegar à beira, desnudou-se cuidadosamente, dobrando suas roupas e colocando-as sobre a areia. Pareceu-me que devia fazer o mesmo. Quando ficamos os dois nus, os outros, que se mantinham prudentemente a distância, puseram-se a aplaudir e a gritar "viva el diálogo", imediatamente batemos continência e entramos no mar. A cada onda, o presidente gritava "viva la mar" e pareceu-me que devia fazer o mesmo. A cada exclamação nossa, os outros aplaudiam lá na beira da praia. Quando deixamos para trás as ondas (o presidente nadava como uma foca, fazendo com a boca um ruído muito desagradável), me disse no tom mais natural do mundo: "Usted presidente?", respondi "no presidente", então me olhou fixamente com seus olhos de foca: "Por qué?", me disse. "Não basta querer para ser presidente", respondi. "Macanas!"[4], disse ele em tom peremptório. Esse diálogo me pareceu perfeitamente estúpido e voltei às pressas para a beira da praia, e foi quando ouvimos o barulho de um avião. Levantei a cabeça. E em menos tempo do que eu levo para contar isso, o avião lançou uma bomba sobre os militares que tinham ficado na praia. O mar produzia ondas em sentido contrário que quase nos arrastaram longe demais para poder regressar. Alcançamos a areia quase sem ar, e ali encontramos um monte de cadáveres carbonizados sobre a areia negra. O presidente parou diante de cada um deles, pronunciando a palavra "militar" em tom solene, e batendo continência, depois se vestiu do melhor jeito possível, pois suas roupas estavam meio queimadas (as minhas também, mas pareceu-me que a situação era mais embaraçosa para um presidente do que para mim), finalmente me disse, colocando a mão em meu ombro: "Racconta-me tutto." Fiz o melhor que pude, começando pela narrativa de meu cão cavando o poço na areia. "Quién culpable?", perguntou-me quando terminei de falar. "Nosé", respondi. "Bravo!", gritou, beijando-me o rosto quatro vezes seguidas. Depois disso entrou com roupa e tudo no mar e começou a nadar; não tinha se afastado nem cem metros quando ouvi o barulho do avião, levantei a cabeça e pouco depois bum! em cheio sobre a cabeça do presidente, de quem não sobrou mais do que uma

---

[4] Asneiras!

grande mancha vermelha no mar. Nesse momento, comecei a me fazer perguntas, ou melhor, uma só pergunta: por que eu era o único sobrevivente do Uruguai? Aparentemente havia também a garota, mas logo esse ponto foi esclarecido: ao entrar em minha casa encontrei-a estripada em minha cama. Até amanhã, Mestre. Bom-dia, Mestre. Nem uma alma vivente. Passei o dia percorrendo a cidade em todas as direções, num jipe militar que encontrei estacionado em frente à loja (quem o terá deixado ali?). No porta... (ia dizer porta-luvas, mas os jipes têm uma espécie de buraco no lugar do porta-luvas), encontrei a foto do presidente com a menina (só a metade da cabeça da menina aparece na foto) rindo e olhando para a lente. O presidente está com umas olheiras, e a menina, maquiada como uma puta. Subi de jipe pela primeira vez o monte e o achei muito menos interessante do que pensava: é uma montanha de terra dura sem um arbusto nem uma pedra. No cume (é o único detalhe interessante do monte) está o avião que nos bombardeou ontem, entrei nele e estava absolutamente vazio, não tinha assento e nem motor. Isso me assustou, apesar de estar convencido de que cedo ou tarde encontraria uma explicação razoável para tudo. Esta noite dormi no maior hotel da cidade, o Montevidéu (evito deitar-me em minha cama desde que nela encontrei o cadáver da menina, a quem, por certo, enterrei), num quarto que encontrei quase vazio (havia apenas um cadáver, na banheira, mas fechei com chave a porta do banheiro, bem como a que dá para o corredor). Acordei muito tarde, li os jornais antigos que encontrei na recepção, fiz café na cozinha, comi torradas com geleia de laranja, e também bacon, que encontrei em muito bom estado na geladeira. Passeei a pé pela cidade, olhando as vitrines (estou no centro da cidade, bem longe de onde morava antes), e escolhi uma bela roupa colonial com botões de nácar que cuidei de pagar antes de vestir. Esta vida é muito menos monótona do que você pode acreditar. Posso ler, ouvir música, passear e até beber e cantar a plenos pulmões, sem que ninguém me venha encher a paciência. Desgraçadamente, sinto um pouco de falta de sexo, mas não se pode ter tudo. Cheguei a projetar um filme ontem à noite, antes de ir dormir, no maior cinema da cidade (o Montevidéu), *Hello Dolly*: nada demais, embora a estrela do filme seja deslumbrante. Tive a curiosidade de saber se ainda restam peixes no mar (não há um só pássaro) e me afastei em um barco a motor. Inútil. Nenhum peixe. Quando acaba a gasolina de um carro, pego outro. Falta energia há vários dias, mas me ilumino com velas, há velas em quantidade na cidade, um estoque suficiente para o resto dos meus dias. Quanto às provisões, encontrei milhares de presuntos nos abatedouros e sempre posso comer legumes, que continuam brotando do chão e eu me pergunto: como? Meu único medo, nos primeiros dias, tinha sido o de que os cadáveres começassem a apodrecer; o que tornaria a vida impossível na cidade (teria sido impensável enterrá-los, dado o número), mas parecem tão bem empalhados que, nesse aspecto específico, creio não ter o que temer.

Agora vou confessar uma coisa que não confessaria nunca se pensasse que você um dia fosse ler esta carta (na situação em que me encontro, é impossível que algum dia você leia esta carta), pois bem: fiz amor com a mulher negra do balcão da loja. Não sobre o balcão, do lado de fora, instalei um colchão no meio da rua (me fazia rir muito a ideia de que os transeuntes pudessem nos ver) e fiz amor com ela ao luar, depois de ter bebido o champanhe que cheguei a derramar sobre seus seios e que bebi em seu umbigo (tem um umbigo muito profundo). Deixei-a ali mesmo, no meio da rua, para o caso de ter vontade de tornar a vê-la. Organizei minha vida com horários precisos. Despertar às dez, a seguir, footing até o meio-dia. Almoço sozinho no Plaza, lendo jornais velhos, depois visito alguns lugares turísticos (a estátua de São Santo, os jardins de Doña Marones), mais tarde faço um pouco de shopping, volto a meu hotel para me arrumar um pouco e janto no Plaza ou no Jóquei Clube, então vou tomar um uísque em alguma boate e no final da noitada volto para casa ou vou ver a mulher negra da loja (remexendo em sua bolsa descobri, não sem grande prazer, seus documentos: chamava-se Voom-Voom Pérez). Nunca deixo de levar-lhe algum pequeno presente: um par de meias de seda ou uma caixinha de música. No Natal tenho a intenção de lhe dar de presente um casaco de vison que já escolhi numa loja. Você vai dizer: Como vai fazer para saber que é Natal? E é aí que posso responder: você não entendeu nada do meu relato: o Natal chegará quando eu quiser, isso é tudo. Nestes últimos dias tive a ideia de um jogo que será, creio eu, o artifício graças ao qual meus últimos dias, se é que meus dias vão se acabar aqui, serão salvos do tédio: faço brincadeiras surpreendentes para mim mesmo. Fui buscar meu cão Lambetta na outra ponta da cidade (no quarto humilde em que eu antes vivia) e coloquei-o sobre o pedestal da estátua de São Santo, quanto a São Santo, vesti-o de Madame Pipi e sentei-o na entrada do banheiro do metrô. No interior do maldito avião coloquei uma mesa Knoll que comprei nas galerias Montevidéu e sobre a mesa pus uma escova de dentes e uma luva (sei que isto é um pouco surrealista, mas me diverte, por outro lado, aqui não se dá bola para modas); cortei um pé da mulher negra e o pus no bolso (imagine o susto que tomei ao colocar a mão no bolso para pegar o isqueiro!), pintei de vermelho um de meus sapatos, bem como um dos sapatos do porteiro do hotel, e, cada vez que entro, olho para o seu sapato, depois para o meu, com ar estupefato, depois passo bem na sua frente, duro como uma árvore, e, quando entro em meu quarto, estouro de rir. A brincadeira, para ser divertida, deve ser um pouco mais complexa a cada dia. Ontem, disfarcei-me de inspetor de polícia (troquei minhas roupas pelas de um verdadeiro inspetor de polícia) e entrei numa loja de roupas para verificar todos os preços. Pus um peso sobre um vestido que era uma imitação de Dior, e dois mil pesos sobre um lenço de juta etc. A seguir, prendi dois dos empregados e um manequim de cera da vitrine. Condenei-os à morte e depois os perdoei, embora de agora em diante estejam proibidos de dirigir a palavra uns aos outros. Tenho, é claro, momentos de enjoo total. Fico então três ou quatro dias na cama, olhando para o teto, apesar de ele ser bem feio, por causa das manchas de umidade inevitáveis neste país. Penso nas diferentes possibilidades de brincadeiras que ainda posso realizar e que, no fim das contas, são bem limitadas. À força de ficar deitado olhando para o teto, muitas coisas bem estranhas me passaram pela cabeça. Passo a narrar: antes de ontem pensei em uma vaca com tanta força que acabei vendo a palavra vaca escrita em grandes letras de neon na parede em frente ao meu hotel. Neste momento o neon está apagado, mas continua ali. Fiz andar um carro apenas pensando no movimento do carro e no carro ao mesmo tempo; começou a andar tão rápido que tive que correr ao lado dele até que se espatifou contra uma árvore que eu não tinha previsto. Utilizo tais poderes muito raramente, para me servir à mesa ou coçar as costas, porque normalmente me ocupo eu mesmo de todas as tarefas utilitárias, a fim de manter a forma física, mas estou muito feliz com as possibilidades que se abrem à minha frente graças ao que eu chamo, ruborizando, meus pequenos milagres. Já que tenho que terminar aqui os meus dias, sempre é tranquilizador saber que quando já não tiver forças para ir buscar beterrabas no campo sempre poderei tê-las sobre minha mesa apenas pensando em beterrabas, em minha fome e em meu prato ao mesmo tempo. Quem diria que ganharia poderes de bruxo justo no momento em que isto não me serve para nada, nesta merda de país onde não há sequer um gato para me aplaudir! Mas a vida talvez seja sempre assim: tudo nos chega sem aviso e sem explicação aparente, e me digo que, depois de tudo, você é talvez neste momento tão desgraçado como eu por razões tão estranhas para você como minha situação o é pra mim. Lance teatral: as pessoas começaram a ressuscitar. O primeiro ressuscitado que vi me deixou em estado de choque, isso eu garanto. Vi um cadáver começar a bocejar como se estivesse acordando (o do jornaleiro que tenho o costume de ver numa esquina do Palazzo Salvo, com o que sobrava de seus jornais, três ou quatro pedaços de papel rasgados pelo vento e amarelados pelo sol em seu punho cerrado). A princípio, não pude crer e pensei tratar-se de um desses milagres que faço nos últimos tempos, mas não, o sujeito estava bem vivo e, depois de bocejar e esfregar os olhos, notou os pedaços de papel velho que tinha nas mãos e me olhou, percebi na hora que o sujeito pensava que eu tinha roubado os seus jornais enquanto ele tirava uma soneca. Pus-me a correr a toda velocidade, não por medo do sujeito, mas sim pela confusão que deveria se seguir a isto: como ele poderia acreditar em mim se eu lhe contasse que esteve morto durante três anos? Depois de uns trezentos metros de corrida a pé, vi uma mulher que agitava a mão para mim gritando táxi! táxi! Por um reflexo instintivo de medo (confesso) dobrei à direita e me perdi numa ruela vazia que conhecia de memória até seu mais remoto esconderijo. Ao saltar para trás de uma grande lata de lixo, a tampa da lata se ergueu e um sujeito saltou para fora dela e me apertou as mãos. E a coisa seguiu assim interminavelmente. Compreendi de repente que a ressurreição dessa gente tem uma relação direta comigo, embora me pergunte de que natureza será. A mulher que me gritava táxi! táxi! continuava me tomando por um táxi, e cada vez que cruzava com ela, a criatura queria subir em mim. Mais de uma vez me deu uma trabalheira danada me livrar dela (é uma chata), pois não lhe vinha nunca a ideia de tomar qualquer outro por um táxi. Na verdade, todo seu universo mental gira ao redor do táxi que sou, porque essa é a única palavra de que ela se lembra do período anterior à sua morte. O vendedor de jornais pensa ainda que eu roubei seus jornais e quando me vê começa a chorar e gritar: jornais! jornais! E, se eu lhe entregasse uns jornais, para parecer que os estava restituindo, ou se eu resolvesse pagar por eles, tudo isso não mudaria nada: para ele, eu sou, por toda a eternidade (se ouso dizer) a palavra "jornais" ou aquele que lhe roubou seus jornais (o que para ele dá no mesmo). Há três sujeitos (é verdade, três) que me tomam por uma casca de banana na qual eles escorregaram antes de morrer, e a cada vez que me veem dizem "banana, banana", depois fazem como se estivessem escorregando e quebrando a cara no chão. Há outros que me tomam por seu irmão ou sua mãe e há até uma velha que crê que eu sou ela. Sou literalmente assediado por esse bando de alienados que não me saem dos calcanhares. Tento me concentrar para produzir o milagre de calar a boca dessa gente, mas não possuo poderes suficientes. Ao menos consegui arrancar um pedaço do calçamento com o qual acertei a velha idiota que me toma por ela, de todos, ela é a mais irritante porque quer entrar em mim e não para de me cobrir de hematomas nas costelas e nos braços com suas cabeçadas. Há outro que me toma por uma vassoura, antes de ontem quase me estrangulou ao tentar varrer não sei que sujeira. Felizmente, tive poderes suficientes para fazê-lo abrir os dedos, não fosse isso e eu não estaria aqui lhe escrevendo. Só deixo meu quarto de hotel para fazer as compras da semana, porque a vida na cidade tornou-se inviável. Assim que ponho os pés de volta em casa, encho meus ouvidos de algodão para não escutar seus gritos de idiotas. Você vai dizer, evidentemente, que, já que eles são tão bestas como um animal (é o caso de se dizer), eu poderia encontrar um meio de domá-los (alguns deles, os mais calmos) ou enjaulá-los (os mais agressivos), o que seria provavelmente possível se eu me desse ao trabalho de tentar, coisa que o estado de indignação em que me encontro me impede sequer de cogitar. Por agora, estou tão furioso com eles que, assim que avisto um, não consigo me impedir de insultá-lo, e o diálogo se torna impossível. Finalmente me armei de coragem e me disse que deveria pedir uma audiência com o presidente da República, que foi tão gentil comigo pouco antes de sua morte, para expor o meu problema. Meu encontro com o homem (o presidente) só foi se dar depois de me ver obrigado a passar pelas formalidades mais estúpidas que você possa imaginar, e das quais vou poupá-lo. E, no entanto, o homem parece realmente satisfeito por voltar a me ver e chora de emoção apertando minha mão. Está sozinho em sua sala, desenhando num quadro-negro o mapa-múndi (diz ele), ou seja, uma vaga ideia que ele tem da forma do Uruguai depois da catástrofe. Não é a forma, geograficamente falando, o que mais mudou, e sim a disposição dos habitantes, disposição que ele traça com um giz cor-de-rosa no quadro-negro (desenha os limites do Uruguai em amarelo e os acidentes geográficos, tanto os rios como as montanhas ou as casas, em verde). Como toda a população do país me segue a todos os lugares aonde vou, não para de redesenhar a disposição das pessoas com seu giz rosa, seguindo as informações que recebe ininterruptamente, por telefone, sobre meus deslocamentos. Decido falar-lhe com toda a franqueza e digo que, na situação em que me encontro (explico-a com detalhes), seu país deixou de me interessar. Quando termino meu discurso, o presidente coça a cabeça; depois, tomando uma decisão (e eu me pergunto qual) sai do quarto e volta, poucos minutos depois, com a menina (a menina que eu havia encontrado estripada em minha cama) e com a mulher negra da loja (minha antiga noiva morta, embora ela nunca o tenha sabido). Por um momento tive medo de que me obrigasse a me casar com a mulher negra, mas tratase de outra coisa. Retirou de uma gaveta o pé da senhora negra que eu tinha cortado durante sua morte e me pediu que mostrasse como realizo esses milagres. Consegui colar de novo o pé, embora ao contrário, mas creio que nem perceberam, porque babavam de admiração. A seguir, pediu-me que descolasse o nariz da garota e neguei-me firmemente porque um milagre, no fim das contas, é um milagre e só deve ser utilizado para ações justas ou ao menos úteis. Compreendeu meu ponto de vista e educadamente me pediu desculpas. Ato contínuo, ofereceu-me um havana que aceitei e mandou a menina pular corda, o que ela fez, e à mulher negra mandou que dançasse, o que ela também fez, ainda que de modo bem pouco atraente por causa da posição de seu pé. O próprio presidente tirou um violino da gaveta e fingiu tocá-lo (o violino não tinha nem cordas). Percebi que esperavam algum cumprimento de minha parte e então lhes disse "encantador, encantador", o que pelo jeito os deixou muito satisfeitos, porque logo depois pararam com aquilo. Aproveitei a ocasião para insistir, de um modo tranquilo, porém firme, na necessidade de encontrar uma solução para minha situação no Uruguai. O presidente coçou a cabeça. Comecei a me sentir um tanto farto daquilo. "Avião?", perguntei. "No avion", respondeu-me. Não há outro avião além daquele que o bombardeou e nem motor tem. "Barco?", eu disse. "No barco", respondeu. Pensei que havia barcos, sim, porque eu mesmo utilizei um. "Por que no barco?", disse com firmeza. "No mar", respondeu. Tomou-me pelo braço e me acompanhou até uma janela; abriu suas cortinas e eu quase caí de susto. Era verdade, não havia mais mar. O céu começa bem na beira da praia. Por um momento, pensei ter ficado louco. Fiz um esforço sobre-humano para respirar calmamente e enfim parei de tremer. A garota me serviu um conhaque que tomei de um gole. "Miracolo?", me disse o presidente gulosamente e compreendi que esperava de mim que fizesse o mar voltar. Embora não confiasse no meu êxito, olhei de novo pela janela, fixa e intensamente, para o lugar onde deveria estar o mar. Ao fim de dez minutos, surgiu uma pequena onda que logo foi sugada pela areia, e isso foi tudo. Comecei a chorar como uma criança, e o presidente me deu uns tapinhas no ombro. A mulher negra e a garota choraram comigo, o que me comoveu muito já que, depois de tudo, poderiam nem ligar para as minhas desgraças como eu nem ligo para as delas. A garota caiu aos pés do presidente e pediu que me canonizasse, presa de uma autêntica crise de histeria. A princípio consideramos tal ideia perfeitamente ridícula e tratamos de tranquilizar a garota oferecendo-lhe bombons, mas, pensando bem, a ideia não tinha nada de desprezível e logo estávamos os quatro ao redor de uma garrafa de mirabelle, considerando os prós e contras. Concordamos que minha canonização tinha que ficar em segredo (foi uma ideia do presidente), já que, se os uruguaios descobrissem minha santidade, se tomariam automaticamente por deuses (dada a ideia que fazem de mim é quase seguro que cada um deles se acreditaria o deus da minha religião) e isto despertaria entre eles uma rivalidade muito perigosa. Sendo eles tão agressivos por natureza, começariam a matar uns aos outros sem hesitar, o que seria pouco caritativo por parte de um santo, mesmo falsificado, como é o meu caso. De modo que minha canonização deve permanecer anônima, o que quer dizer que precisávamos encontrar um jeito não só de ocultá-la dos uruguaios, mas de levá-los a crer que sou um uruguaio como eles. É importante também por uma razão puramente prática: é preciso que deixem de me perseguir por todos os lugares aonde vou, empurrando-me e proferindo coisas sem sentido, disso depende minha saúde tanto física como moral. Evidentemente é o ponto mais difícil de resolver porque todos me reconhecem assim que põem os olhos em mim, por isso pensamos que eu poderia talvez tentar o milagre de mudar de aspecto físico, mas ainda que tenha logrado sem problemas inchar minhas bochechas e alongar um pouco os braços e o nariz, isso não me mudava o suficiente para chegar a ficar irreconhecível. O presidente teve a ideia de cortar minhas pálpebras e meus lábios e convertê-los, ainda por cima, em minhas relíquias, e embora a princípio a ideia não me tenha seduzido por razões estéticas, terminei por convencer-me de que esta era a melhor solução e consegui, ao mesmo tempo, o milagre de anestesiar-me durante a operação. Quando me olhei num espelho desatei a rir, de tão irreconhecível que estava. Agora só nos faltava escolher uma falsa palavra (a palavra que pertence a cada um deles e que constituiria o ponto de união deles comigo), mas a escolha é difícil porque quero encontrar a mais confortável de pronunciar (já é bastante chato não ter mais do que uma única, e se além do mais devo repeti-la ao longo do dia, a coisa vai ser uma chatice). O mais simples teria sido evidentemente escolher a palavra palavra, que é a palavra mais simples, mas para isso é preciso ter lábios. Optei pela palavra rato, que é bem curta e não exige mais que um pequeno tremor na garganta no momento em que os pulmões se desinflam. O resto foi brincadeira de criança. O presidente me fez sair por uma pequena porta secreta (os três me abraçaram, desejando-me boa sorte) e me misturei à multidão que passeia em frente à Casa Presidencial à espera de minha saída, cada um pronunciando sua palavra; eu repetia "rato, rato" e naturalmente consideraram que eu era um dos seus. A princípio ficaram muito inquietos por não me verem sair da Casa

Presidencial (para eles estou aí dentro há três semanas), mas, nestes últimos dias, começaram a se acalmar. Pouco a pouco retomaram seu antigo costume de escolher lugares. Para fazer como eles, escolhi um bastante confortável (são tão burros que escolhem qualquer coisa, até um garfo é bom para sentar em cima o dia inteiro). Tenho sempre o mesmo lugar: um grande buraco que cavei na areia e no qual coloquei alguns objetos pessoais e até um toca-discos a pilha. Não posso dizer que me sinta desgraçado, já que a vida é tranquila, e a alimentação, boa. Legumes deliciosos começaram a crescer por toda parte e não preciso fazer nada além de esticar minha mão para fora do buraco para apanhar algum coelho e preparar um suculento prato. O presidente vem com frequência me visitar e não deixa nunca de me trazer um pouco de açúcar ou um havana e às vezes até os dois. Às vezes a garota vem com ele e os três juntos tomamos banhos de sol na praia (é nestes momentos quando mais se nota a falta de mar) bebendo cervejas e construindo castelos de areia. Para divertir a garota, a quem adoro, faço-lhe de vez em quando uns milagres, embora nos últimos tempos tenha perdido muitos de meus poderes. Mas ainda tenho alguns truques de reserva. Posso ainda fazer com que se movam alguns grãos de areia ou que cresçam os tomates. Nas noites de quinta janto no Plaza, mas o serviço ficou péssimo desde o lance da ressurreição, porque te servem a primeira coisa que lhes passa pela cabeça. E às vezes essa coisa não é de todo comestível. Não penso em pôr os pés nunca mais naquele lugar. Antes de ontem quase me jogaram na rua porque me neguei redondamente a comer uma repugnante mistura de batatas fervidas e fritas colocadas ao redor de uma meia do garçom (eu o vi colocar a meia no prato com meus próprios olhos), e olha que sou um dos clientes mais antigos. Comentei o caso com o presidente, que me prometeu mandá-lo para a execução. Antes de ontem, o monte de Montevidéu se afastou suavemente no mar até converter-se em um ponto no horizonte. Imediatamente todas as casas da cidade se amontoaram umas sobre as outras ao redor da Casa Presidencial e a própria Casa Presidencial não parou de dar saltos que às vezes alcançavam uns trinta metros. É bastante incômodo, porque isto faz o chão tremer. Vimos coisas piores, brinca o presidente. Diga alguma coisa. Até amanhã, Mestre. Bom-dia, Mestre. Recebemos a visita do papa da Argentina, é pequeno e magrinho, veste-se de ouro e voa (chegou voando, para realizar tal proeza imita o barulho de um avião, e isto o ergue mecanicamente do chão, a seguir aponta com o dedo indicador a direção que prefere). Parece que na Argentina todas essas nossas aventuras foram seguidas pela televisão e ele veio me conferir a medalha do cômico argentino (um baixo-relevo que representa a cabeça de uma vaca extremamente séria cujos olhos fixam o horizonte, diz ele que é o emblema da Argentina). Fingi ficar emocionado, mas sem exagerar por medo de acabar recebendo uma proposta de contrato para trabalhar como ator na televisão argentina. De maneira muito polida, fiz com que percebesse que meu sucesso na televisão tinha sido inteiramente acidental, mas ele me respondeu firmemente que aquilo era um fato. O presidente, que é um grande ingênuo, não parou de lhe fazer reverências e de anotar tudo o que ele dizia. Julgou que ele poderia sem dúvida alguma fazer cessarem esses saltos da Casa Presidencial (ela dá uns saltos histéricos a cada três minutos) se eu lhe emprestasse minhas relíquias que ele colou às suas pálpebras (minhas ex-pálpebras) e a seus lábios (meus ex-lábios), o que lhe dá um ar absolutamente ridículo. O papa então começou a voar ao redor da Casa Presidencial como um moscardo gritando "caraco, caraco", que, ao que parece, é a palavra-chave da feitiçaria argentina. Ao fim de uma hora, totalmente esgotado, desabou a nossos pés e lhe oferecemos um copo de água. Ele tinha a impressão de que a Casa Presidencial saltava mais suavemente do que antes, o que é falso. Pedi-lhe que me restituísse minhas relíquias e as recoloquei no cofre que reservo para esse uso. Perguntamos se gostaria de passar a noite no Uruguai e ele aceitou, visto que tinha pela frente muitas horas de voo e já era quase noite. Isso me contrariou um pouco (mas não deixei que percebesse), uma vez que o lugar é muito pequeno para nós (o presidente, depois que a Casa Presidencial começou a saltar, tem medo demais para dormir ali e você sabe que meu cafofo não é grande e que eu tenho uma cama só). Servimos alguns legumes para comer e nos apertamos para que os três coubessem na cama, o que não é fácil já que o presidente não para de engordar desde que a garota o deixou (ela partiu com a mulher negra para o norte, onde, parece, abriram um bordel). Assim que as luzes foram apagadas, percebi uma estranha movimentação sob os lençóis: o presidente se fazia sodomizar pelo papa da Argentina! Acendi imediatamente as luzes e eles fingiram dormir. Fiquei extremamente chocado não pelo fato em si, que não tem nada de reprovável, mas pela extrema servilidade do presidente, que parece não medir esforços para que se lhe restituam as vacas uruguaias que partiram a nado para a Argentina no tempo em que ainda havia mar. Deixei as luzes acesas e fingi ler, mas notei que o presidente, roncando cada vez mais alto, o hipócrita, estava masturbando o outro. Levantei-me calmamente e pedi ao papa que fosse dormir na banheira, mas ele se recusou muito secamente sob o pretexto de que ele é o papa de um país maior que o nosso e que caberia a mim ou ao presidente dormir na banheira. Contestei que, apesar de ele ser papa, eu era santo, e como ele não achou uma resposta para isso fingiu adormecer. Enquanto isso o presidente, morto de vergonha, roncava de estourar os tímpanos. Tornei a me deitar e apaguei a luz, pensando que, depois dessa troca de palavras, eles não ousariam mais recomeçar. Nem bem tinha me apaziguado um pouco, quando senti a mão do papa em minhas nádegas, que ele tentava separar com os dedos, pensando que eu devia estar dormindo profundamente demais para perceber o que se passava. Dei um pulo e acendi as luzes. O papa me olhou sorrindo e fazendo gestos obscenos com o indicador. Perguntei-lhe de modo bem tranquilo se ele não tinha vergonha. Ele me disse que um papa não tem vergonha de nada, o que não é o caso dos santos. Aí eu explodi. Precipitei-me sobre o sujeito e torci-lhe o nariz até que sangrasse. Ele ficou tão surpreso que nem ousou reagir. No dia seguinte, pela manhã, os três tomamos nosso café com leite em silêncio e, embora o presidente não tenha ousado erguer os olhos de sua xícara, o papa parecia muito descontraído e realizou inclusive uns voos circulares ao redor da mesa, antes do desjejum. Depois do café com leite, o papa nos pediu que lhe mostrássemos alguns uruguaios antes de sua partida. Montamos a cavalo e demos rapidamente uma volta pelo Uruguai, o que não é difícil já que ele não para de encolher. O papa portou-se de modo bastante grosseiro, não parava de falar que os argentinos eram maiores, mais limpos, mais ricos que os nossos uruguaios e, mesmo que seja verdade (não posso julgar a questão porque nunca vi um argentino), não é coisa que um papa deva sair dizendo por aí. Ele nos propôs que apostássemos os argentinos e os uruguaios nos dados, e apesar de o presidente parecer seduzido pela ideia, eu me recusei. Almoçamos no Plaza, e o papa em nenhum momento demonstrou pressa de partir. Observei que, se ele queria chegar a Buenos Aires antes do cair do dia, era hora de partir. Ele disse que pouco se lhe dava, pois os argentinos iriam esperá-lo o tempo que ele quisesse. Escovou os dentes fazendo barulho, e o presidente o imitou. A seguir, propôs ao presidente uma visita à Argentina e o presidente chegou a enrubescer, confuso. Olhou-me com uma carinha de cão que implora por comida e eu disse que se ele desejava ir era problema dele. "Eu sabia que você era bom, me disse o papa, e eu o abençoo." Eu lhe disse de modo polido que não precisava de sua bênção para nada. "Eu a concedo assim mesmo", disse-me ele, e escreveu a palavra "bênção" num pedaço de guardanapo de papel e me deu. Fiz com ela uma bolinha de papel e joguei debaixo da mesa. A seguir, ele se pôs a narrar ao presidente as maravilhas da Argentina, onde, parece, as pessoas adotaram uma nova religião que consiste em rir uns dos outros (ele é o único que não ri e ninguém pode rir dele, e é por isso que ele é o papa) e parece que eles se concentram todos em um mesmo lugar do país porque, quanto mais numerosos são, mais isso os faz rir. Achei essa história tão idiota que nem me dei ao trabalho de lhe dizer. O presidente me perguntou se poderia levar consigo uma de minhas relíquias para mostrá-la aos argentinos e confiei a ele uma pontinha da pálpebra. Eles decidiram partir à noite, apesar de ventar muito, mas o papa afirma que pode voar no escuro, faça o tempo que fizer. Amarramos o presidente ao papa com uma corda. Pareciam dois salsichões atados, e eu disse a mim mesmo que, se a religião deles é o riso, ficarão bem contentes assistindo à chegada dessa dupla. Reverências foram feitas, e logo subiam os dois pelos ares. Levaram no mínimo umas três horas para desaparecer no céu, porque o papa voava como um pardal com um tijolo preso às costas. Dei adeus a eles e fui dormir, porque mal preguei os olhos noite passada. Amanhã terei que, sozinho, ocupar-me de todo o país. Apesar de, nos tempos atuais, eles permanecerem todo o tempo imóveis e mudos, se ficam dois ou três dias sem me ver, isso lhes provoca crises de angústia que prefiro evitar. Assim, todos os dias, dou uma volta ao redor do Uruguai e deixo que cada um dos uruguaios me veja, e para cada um tenho uma palavra amável. O maior prazer que lhes dou é quando digo como eles estão agora em relação à última vez que os vi, por exemplo, a um que perdeu os cabelos eu digo: "você perdeu os cabelos" e ele se acalma imediatamente, rindo, ou então, a uma mulher que perdeu seu marido, eu digo: "você perdeu seu marido", então ela chora um pouco e se acalma. Aos que sofrem porque seu lugar é desconfortável (os que escolheram como lugar um cacto ou uma caixa pequena demais para eles) eu digo: "seu lugar não é confortável" e isso os tranquiliza. De tanto repetir-lhes todos os dias a mesma frase, eles terminaram por decorá-la, e o careca, por exemplo, assim que me avista já me diz: "você perdeu seus cabelos" e a viúva "você perdeu seu marido". Ensinei os dois a manter conversas sumárias entre si. Agora o careca diz à viúva "você perdeu seus cabelos" e a viúva responde: "você perdeu seu marido" e isso os faz rir. É pouco, mas já é alguma coisa, visto que levam uma vida sem muita chance de concordar. Experimentei colocá-los em círculo e, apesar de no início ficarem horrorizados com isso, agora já começam a se habituar uns com os outros e não param mais de tagarelar. Depois coloquei todos em um grande círculo (o que me custou um trabalho inacreditável), mas isso não os deixou muito felizes, pois não chegam a ver os limites do círculo, que ocupa praticamente todo o território do Uruguai, e ficaram mudos. A cada um eu ensinei a dizer sua frase para o vizinho da esquerda e a escutar a frase do vizinho da direita e a repeti-la ao vizinho da esquerda, e assim indefinidamente. A princípio isso também não agradou muito a nenhum deles, mas, ao fim de um tempo, quando descobriram que regularmente, todos os dias, sua frase retornava a eles, ficaram realmente encantados. A viúva, por exemplo, ao perceber que todos os dias, às 17:15, seu vizinho da direita vai dizer-lhe "você perdeu seu marido" passou a se divertir com isso já pela manhã, e eu, por meu lado, uso-a como relógio, o que me é muito útil já que o meu quebrou há não sei quantos anos. Teria sido uma solução perfeita para eles e para mim se ultimamente o tempo não tivesse se reduzido em suas cabeças de maneira vertiginosa. Falam uns com os outros cada vez mais depressa e as frases passaram a levar apenas quinze minutos para dar a volta completa. Concluí que se chegar o momento em que a mesma frase complete o círculo num átimo, corremos o risco de um desses raros cataclismos tipicamente uruguaios a que estamos, é bem verdade, habituados, mas que nem sempre são desejáveis. Experimentei tanto reuni-los de um modo diverso (negaram-se, visto o gosto que tomaram pelo jogo) como introduzir novas frases no círculo, mas isso aparentemente não lhes entra na cabeça. Tanto pior, vamos ver o que acontece. Segundo lance teatral: o presidente retorna. Catapultaram-no ao Uruguai, o papa nem sequer se deu ao trabalho de acompanhá-lo. No princípio, ele tentou me fazer acreditar ter se tratado de uma viagem triunfal pelas províncias argentinas, mas bastou um olhar severo de minha parte para que ele se desfizesse em lágrimas e me narrasse a triste verdade: o papa, cujo verdadeiro nome é Mister Puppy, é na realidade um perigoso traficante de escravas brancas. Veio ao Uruguai com a esperança de recrutar a garota e a mulher negra, que notou por nossas transmissões televisivas. Foi para isso que ele montou todo esse roteiro, se fazendo passar por papa, o desgraçado, e, ao não encontrar nem a garota nem a mulher negra, seduziu o presidente para fazê-lo trabalhar nos bordéis argentinos. Parece que o pobre passou por poucas e boas. Vestiam-no como dançarina espanhola e os homens faziam fila para sodomizá-lo. Finalmente conseguiu, ao fim de incontáveis sacrifícios, reunir dinheiro suficiente para comprar uma catapulta, sustentado pela esperança, disse ele, de obter o meu perdão. Perdoei-o de coração e então se pôs a chorar cada vez mais forte. Confessou ter vendido minha relíquia para comprar um sanduíche um dia em que morria de fome sob a neve. Perdoei. Trouxe-me um presente, uma gravata que um de seus clientes esqueceu em seu quarto em Tucumán. Rogou-me que a pusesse no nosso primeiro jantar a sós depois de sua desventura. Pus a gravata e lhe disse que tomasse um banho enquanto eu descascaria as batatas: disse-me que não precisava de banho, mas ordenei que tomasse porque se notava muito bem que não tinha tomado banho desde a sua partida. Enquanto descascava as batatas, ouvi o barulho da água do chuveiro correndo sobre o piso e não sobre seu corpo, então entrei no banheiro e o achei sentado no bidê, rindo. Coloquei-o debaixo do chuveiro a pontapés e esperei que estivesse bem ensaboado. Jantamos tête-à-tête na praia, à luz de uma vela que peguei na Casa Presidencial antes que ela derretesse completamente. O presidente, com a ajuda do vinho, soltou a língua e me contou que no início estava apaixonado pelo papa, que não queria casar-se com ele, mas que logo conheceu alguém ligado a um ministério qualquer que lhe fazia todos os caprichos. Chegou a ganhar, segundo disse, uma estola de arminho e uma tiara de strass, e certa tarde foi convidado a uma recepção regada a cocaína de que guarda lembranças de fato inesquecíveis. Perguntou-me se eu não tinha palitinhos para comer as fritas e respondi secamente que não. Pegou as fritas com a ponta dos dedos, molhou-as no vinho e depois as chupou exclamando: "ulalá, ulalá", como se fosse a maior das delícias. Contou que na Argentina é fácil ganhar dinheiro, mas que isso não lhe interessava, porque eram muito grosseiros. Sua melhor amiga, uma árabe, foi castigada porque se recusou a chupar o pau de um negro e, depois de tudo, ela é que foi condenada porque os negros tinham dito que ela tinha mordido seus culhões. A pobre levou chibatadas em praça pública. Confessou ainda que, no fundo, somente a mim amou todo o tempo, mas que meu caráter reservado o levou a fugir até se conscientizar da verdade de seus sentimentos. Disse que muitas vezes, durante o sonho, eu o chamava e que isso era uma prova de que eu o amava. Pegou minha mão, apertando-a bem forte, com lágrimas nos olhos, e confesso que isso me tocou. É um bom sujeito e não tenho o direito de julgá-lo por um deslize passageiro de que ele próprio foi a primeira vítima. Quando chegou o café, recebemos a inesperada visita da garota e da mulher negra, que tinham ouvido que o presidente estava de volta e que queriam se inteirar das últimas modas argentinas (agora elas têm uma loja de roupas), e o presidente rabiscou para elas alguns croquis. Elas esperam ampliar seu negócio e conquistar todo o mercado uruguaio, e para isso contam comigo: queriam que emprestasse uma máquina de costura, mas infelizmente não tenho nenhuma. Foram-se, tristes, mas otimistas. Quando se foram, o presidente fez uma cena insuportável, dizendo que eu tinha dormido com elas durante sua ausência, o que é absolutamente falso já que havia pelo menos cinco anos que não as via. Depois de quebrar um prato em minha testa, lançou-se aos meus pés pedindo perdão. Tentei convencê-lo a ir se deitar e me acusou de querer envenená-lo quando estivesse dormindo. Garanti que não e tornou a me pedir perdão. Acariciei um pouco sua cabeça e parece que isso o apaziguou, porque dormiu com a cabeça entre os meus joelhos. O dia está nascendo. É muito bonito, pois desde que o céu passou a nascer na beira da praia, pode-se tocar o sol com a ponta dos dedos no momento em que ele passa à sua frente. Uma lágrima corre por minha face. O presidente tem um pesadelo entre dois roncos e grita: "Mister Puppy, não me bata mais!" Sacudo-o e ele esfrega os olhos, me abraça e torna a adormecer. Eu também vou dormir porque amanhã tenho um dia cheio. Até amanhã, Mestre.

A INTERNACIONAL ARGENTINA

1

Conheci Nicanor Sigampa em Paris, no final de 1986. Já tinha ouvido falar dele, é claro, como todos os argentinos da minha idade. Aquele negro colossal tinha sido o craque da nossa seleção de polo até 1968, quando uma queda de cavalo o afastou para sempre do esporte. Último rebento de uma das poucas famílias de escravos emancipados a construir um nome na aristocracia, Nicanor, depois desse acidente, foi morar em Paris, onde passou a viver de renda. Encontrei-o no Café de la Paix, conforme combinou comigo por telefone. O sujeito trajava um sóbrio terno fio a fio cinza e um sobretudo de casimira azul; seus cabelos estavam cuidadosamente engomados. Bebia um uísque com Coca-Cola.

– Conheço seus poemas – disse-me em tom respeitoso, mas sem se aventurar a ir mais longe.

Não gosto que me falem de minha obra, ainda mais para não dizer nada. Perguntei-lhe se ainda montava.

– Vou três vezes por semana ao picadeiro do Bois de Boulogne, mas os cavalos de Paris não são como os dos pampas!

O personagem me pareceu antipático. O que queria de mim? Continuou a falar, num tom afetado, das cavalariças de um de seus primos, fornecedor da rainha da Inglaterra, enquanto cavoucava seus soberbos molares com um palito de ouro e marfim, operação repetida cada vez que mastigava uma das batatas fritas que acompanhavam sua bebida; eu me contentava com um chá.

O Natal se aproximava, a Praça da Ópera estava animadíssima. Nicanor me mostrou o grupo do Exército da Salvação, reunido ao lado do vendedor de castanhas.

– A velha Europa – disse ele sorrindo com desprezo. – Em nosso país, quando queremos coletar fundos, dançamos o tango.

Perguntei-me o que faria de seus dias em Paris; não me enganava ao suspeitar uma natureza solitária por trás de sua desenvoltura mundana, desenvoltura contida, bem argentina, copiada das maneiras dos viajantes ingleses do início do século. Trata-se de um produto típico do bairro portenho de San Isidro[5] – disse a mim mesmo –, por mais negro que seja.

Uma jovem do Exército da Salvação nos percebeu através da vidraça e entrou no café sem parar de cantar. Rumou direto para nós. Apressei-me a sacar algumas moedas do bolso, mas Nicanor, com um gesto majestoso, tirou seu Rolex para lançá-lo na boina da jovem. Ela chegou a

---

5 Bairro aristocrático de Buenos Aires.

se atrapalhar com os agradecimentos. O gesto chamou a atenção de muitos turistas, fomos aplaudidos por uma família de japoneses.

– Na Europa de hoje, os pobres têm mais necessidade de relógios de ouro que de filés argentinos! – disse ele, sorrindo.

O sujeito começava a me irritar. Tomei mais um gole do meu chá. A mulher do Exército da Salvação deixou a porta aberta e eu fiquei sob a corrente de ar. Ele comeu mais duas batatas fritas antes que eu decidisse perguntar de que modo lhe podia ser útil, mas ele se antecipou:

– Já ouviu falar da Internacional Argentina?
– Não. É alguma equipe de polo?
– Oh, não, longe disso.

Tirou do bolso um cartão de visita com bordas douradas (decididamente, o homem gostava de ouro), no qual estava escrito, em caracteres que me recordavam vagamente os de nossa escrita colonial: "Internacional Argentina", e, logo abaixo: "Frutos da imaginação".

Por um instante pensei que se tratava de uma firma de importação-exportação especializada em novos produtos exóticos, como maracujás.

– Nossa organização – apressou-se a dizer – reúne apenas a nata das artes e da inteligência e, como é natural, nós pensamos em você. Evidentemente, não nos restringimos aos argentinos, toda pessoa que partilhe de nossas ideias é bem-vinda.

Eu me encontrava, não havia a menor dúvida, diante de um excêntrico, para não dizer de um louco. Enquanto ele falava, fixava o vazio, a não ser que estivesse se olhando no espelho detrás de mim.

– A Internacional Argentina se propõe a coordenar as ações das quais participam, de modo desordenado, todos os argentinos que vivem no exterior.

– Que ações? – ousei perguntar diante de seu súbito silêncio.

– Na verdade ignoramos tudo sobre tais ações, exceto que existem.

Tirou e entreabriu uma carteira de couro de crocodilo bordada a ouro.

– É muito claro – seu tom foi ficando mais grave – que existe uma relação entre o jogador de futebol Maradona, Eva Perón, o futuro da Patagônia e os contos inefáveis de nosso bem-amado Jorge Luis Borges.

Sacou da carteira algumas fotos, que colocou diante de meus olhos.

– Nós temos a prova, documentos fotográficos e tudo mais, de que três arquitetos argentinos, que não sabem nada uns dos outros, construíram simultaneamente três monumentos idênticos em lugares diferentes do planeta. Essa forma, que lembra uma pinha, abriga uma mesquita em Estocolmo, uma usina atômica no Chile e um aviário em Sydney; dois escritores muito conhecidos publicaram no mesmo dia o mesmo romance, um em Barcelona e outro em Bogotá. Eu poderia citar mil exemplos, a história abunda em sinais desse tipo.

De repente, comecei a espirrar. Pedi duas aspirinas ao garçom, ao mesmo tempo que tentava interromper as batidas formidáveis que Nicanor me assestava às costas, como se esse tratamento fosse controlar meus espirros. Eu não devia ter saído com aquela neve. Senti chegar, minuto a minuto, a gripe que tanto temia. E tudo isso para passar uma hora ouvindo as histórias de um louco gentil. Pelo modo como se apresentou ao telefone, pensei que o sujeito tinha sido enviado por uma revista intelectual interessada na publicação de uma de minhas obras (aquela que me pedem com mais frequência é a "Ode à cordilheira", um poema forte, mas, ai de mim, imaturo) e, por que não dizer, num eventual cheque de pagamento. Depois de engolir minha aspirina, pedi desculpas, invocando um resfriado, e ele quis me acompanhar até um táxi. Abrigou-me com seu guarda-chuva até a estação, onde uma multidão carregada de embrulhos dourados – era a moda em Paris também – brigava pelos raros táxis.

– Como sou idiota – disse Nicanor – esqueci que hoje vim de carro.

Seu carro, uma limusine negra, estava estacionado em local proibido na rua Halévy. Instalei-me no assento extremamente confortável. Dei-lhe o meu endereço e ele deslizou até minha casa, com o ar ausente, o que não me incomodou nem um pouco, distraído que estava com meus espirros tenazes. Quando chegamos, desceu para me abrir a porta e me estendeu um cheque.

– É uma bolsa que oferecemos a nossos novos amigos.

Vi o montante. Quinhentos mil francos!

– Você deve ter posto um zero a mais...

– Nada disso. Entre em contato comigo assim que melhorar, quero convidá-lo para jantar em minha casa.

Apesar da gripe, no dia seguinte corri até o banco. O cheque, do banco Rothschild, era bom. Deveria tocar nesse dinheiro? No fim das contas, o que sabia sobre esse Nicanor Sigampa, além das velhas histórias de sua família contadas por minha avó? O primeiro Sigampa (o nome vem de uma tribo africana), nascido cativo na Argentina, tinha sido o braço direito do general San Martín durante nossas guerras de Independência. Emancipado com todas as honras no momento da vitória, casou-se com uma filha natural do general, dona Nicanora, que organizou um dos primeiros salões literários de Buenos Aires. Essa família de negros soube manter-se através de gerações no primeiro escalão dos pecuaristas e industriais nacionais. Apesar de muitos descendentes terem embranquecido pelas repetidas mestiçagens, Nicanor devia pertencer ao ramo tradicional da família, ramo que não desposava senão os membros das melhores famílias negras da Filadélfia e de Boston, pois não possuía uma gota de sangue branco, aparentemente. Assim que cheguei do banco, o telefone tocou. Era Nicanor, querendo notícias sobre minha saúde. Prometi-lhe que o procuraria assim que me sentisse bem o bastante para aceitar seu convite. Eu estava trabalhando em minha trilogia *A morte da baleia*, obra ambiciosa que canta as belezas naturais do sul da Argentina, e via pouca gente. Quando me ligou, eu tinha quase esquecido sua existência. Em minha lembrança, nossa conversa se ornamentava de detalhes pitorescos; disse a mim mesmo, então, que, no fim das contas, quinhentos mil francos bem valiam um jantar de agradecimento. Conhecendo sua elegância, vesti um terno azul e uma gravata *club*. Ele morava em Neuilly, numa mansão particular que havia decorado no estilo rústico argentino, com grandes móveis grosseiramente talhados, um lustre em ferro forjado, imensas peles de vaca e almofadas de cabra selvagem, tudo desconfortável e triste. Pendurei meu sobretudo num cabide feito de chifres de touro enlaçados e me aventurei numa sala ao fundo da qual crepitava um fogo de lenha. As paredes eram cobertas de quadros, um Figari, um Quinquela Martín, um Seguí... obras-primas dos melhores pintores argentinos do século. Quase caí sobre alguém que estava sentado, imóvel, numa cadeira. Era uma mulher negra muito velha.

– Apresento-lhe minha mãe, dona Rosalyn.

Inclinei-me respeitosamente sem que ela parecesse notar minha presença. Passamos para uma segunda sala decorada no melhor estilo contemporâneo. Os móveis e as paredes eram brancos, e uma vidraça permitia ver a lua e as estrelas.

– Este é meu escritório. (Abriu um fichário:) Eis aqui todos os nomes dos membros da Internacional Argentina. Por agora somos uma centena, logo seremos mil, o que digo?, dez mil, talvez milhões...

– E você gratifica cada novo membro com um cheque de quinhentos mil francos? – perguntei à queima-roupa.

– Claro – respondeu ele secamente. – Nossa fortuna não tem limite.

Levou-me para uma terceira sala, tão parecida com a primeira que inicialmente as confundi. As mesmas peles de vaca, a mesma chaminé, mas, no lugar de dona Rosalyn, encontrava-se um negro tão velho quanto ela, de smoking.

– Meu pai – disse Nicanor –, don Ariel. (Inclinei-me, ele permaneceu imóvel.) Ele está embalsamado – acrescentou Nicanor.

Incapaz de manter o sangue-frio, dei um pulo para trás. Não pedi nenhuma explicação, teria sido inútil. Ele mantinha em casa seus parentes embalsamados. Talvez eu fizesse a mesma coisa se fosse rico.

– Meus pais não conseguiam se suportar, por essa razão construímos duas salas idênticas que reproduzem a sala de estar de nossa casa natal na Argentina. Mas minha mãe ainda está viva – ele achou necessário esclarecer. Ela nunca notou a morte de meu pai, pois eles jamais dirigiam a palavra um ao outro.

Quando consegui recobrar alguma estabilidade, cumprimentei-o por seu embalsamador, pois a expressão de vida realmente impressionava.

– É nosso embalsamador de família. Se quiser, posso mostrar-lhe meus avós, que ocupam o celeiro. Eles estão mais perfeitos ainda, porque partiram na flor da idade.

– Talvez outro dia...

Retornamos ao seu escritório e nos instalamos em duas cadeiras Knoll douradas, enquanto um mordomo asiático entrava por outra porta com as bebidas, que colocou sobre uma mesinha Knoll dourada. Todos esses móveis Knoll seriam feitos de ouro maciço?

– Jantaremos em meia hora – disse Nicanor ao empregado, em guarani; foi então que me dei conta de que não era asiático, mas paraguaio. Retirou-se andando para trás.

– O que me apaixona na Internacional Argentina – disse Nicanor bem devagar, depois de acender um cigarro dourado –, é que apenas umas poucas pessoas se dão conta de sua existência. Meu temor é que, quando tomem consciência dela, tomem consciência também de sua força e que ela se transforme em movimento político, pois sua força real está justamente no seu caráter apolítico.

Ironizei: – Não vejo como um movimento que reúne apenas artistas possa degenerar em movimento político, quando se sabe a que ponto eles se detestam entre si e que suas opiniões políticas são sempre vagas e contraditórias. Eu os veria antes inclinados a entrar num movimento religioso, se até isso não lhes provocasse repugnância, já que seu universo pessoal compreende religião e política, enfim, aquelas que se acomodam à sua obra. E você sabe que o universo de um artista é tão efêmero quanto uma moda!

– Você fala dos seus congêneres com desprezo.

– E também de mim, se isso me serve de desculpa. Vivi em Paris metade da minha vida e vi desfilarem muitos congêneres, como você diz!

– Digamos que não me interesso exclusivamente pelos artistas, mas pelas pessoas imaginativas.

– É o mesmo que dizer que você só se interessa pelos artistas fracassados! Se não, por que razão teria me injetado quinhentos mil francos? Você sabe que hoje em dia um poeta, mesmo genial, não consegue ganhar a vida.

– Não me interesso pelos gênios, além do mais você não é um gênio. Eu me dirijo à sua sensibilidade. Se eu lhe "injetei" quinhentos mil francos, é porque você é sensível aos meus argumentos, mesmo que o negue de modo tão arisco. Para mim, você bem poderia ter sido uma vendedora de peixes.

Não me dignei a responder. Girei minha cadeira Knoll e contemplei o céu através da vidraça. Nicanor rompeu o silêncio para recitar os famosos versos de Lorca:

Verde que te quero verde,
verde lua, verdes ramas,
o vento vai sobre o mar
e o cavalo na montanha...

Foi a primeira vez que ouvi sua voz sem olhar para ele e me surpreendi com a qualidade de seu timbre aveludado.

– Você tem uma voz de ator. Por que não se tornou um artista? Em matéria de sensibilidade, você também não fica a dever nada a uma feirante.

Ele me respondeu depois de um longo silêncio:

– Digamos que tenho o dom. Minha sensibilidade só percebe a dos outros, jamais a realidade tal como ela é, mesmo que se trate da lua.

A justeza e a humildade dessa afirmação me tocaram; voltei-me para ele, grossas lágrimas rolavam por suas faces.

– Minha sensibilidade me tornou amargo – confessei –, mil perdões por tê-lo deixado melindrado. É verdade que, apesar de tudo, seu discurso me sensibiliza. Quem não sonhou com uma Internacional reunindo as almas sensíveis do planeta, argentinas ou não? Eu diria até que essa é a base de minha vocação. Mas não posso me deixar levar por sua utopia, temo uma decepção da mesma ordem daquela que me cortou de minha juventude. Se me perdoa, não ficarei para jantar essa noite.

Ergui-me e estendi-lhe a mão, que ele recusou. Atravessei a peça e encontrei três portas, diante das quais hesitei. Qual delas me conduziria à saída? Voltei-me para perguntar a Nicanor, mas ele tinha o ar ausente; chocou-me sua semelhança com seu pai. Empurrei, ao acaso, a porta do meio; era a certa. Dona Rosalyn estava no mesmo lugar, diante do fogo moribundo da lareira. Murmurei um "Adeus, dona Sigampa" e fui buscar meu sobretudo no vestíbulo. O mordomo paraguaio ajudou-me a vesti-lo e, inclinando-se até o chão, estendeu-me um envelope. Abri: outro cheque, de quinhentos francos! Coloquei-o de volta no envelope e o devolvi ao mordomo. Ele me abriu a porta e saí. Não sabia mais onde havia parado meu 2CV, como sempre. Fazia um frio do cão. E não havia nenhum táxi à vista, naturalmente. Dei a volta no quarteirão e fui encontrá-lo, finalmente, estacionado diante da casa dos Sigampa. Ao dar a partida, lancei um olhar sobre a peculiar mansão. À janela do segundo andar, dona Rosalyn me observava, enquanto corria as cortinas.

2

O que fazer em Paris, sozinho, às duas da manhã? Eu seguia para Montparnasse, como de costume. Sentia-me culpado, mas de quê? Meu comportamento tinha sido quase vulgar, porque toda aquela situação me dera nos nervos. Estava claro que essa história de Internacional Argentina tinha tocado um ponto vulnerável em mim. Deixei a Argentina com 22 anos e permaneci na Europa, ao abrigo das turbulências políticas austrais que vitimaram tantos de meus parentes e amigos. Sempre me considerei um argentino de Paris, quer dizer, um ser apolítico e sem nacionalidade, embora não exatamente um exilado: fiz, se não minha fortuna, ao menos minha vida, na Europa. Jamais experimentei, confesso, a menor nostalgia de Buenos Aires. Um tango me deixa tão indiferente quanto uma java. E, contudo... Será que não me considerei sempre, eu também, membro de um grupo especial encarregado de uma missão nebulosa? Essa pretensão de transcendência fundada sobre nada – pretensão que sempre desprezei nos artistas e muito especialmente nos artistas plásticos – não era também a minha, por mais desargentinizado que me considerasse? Não carrego, eu também, minha parte desse nacionalismo argentino que sempre culpei por todos os nossos problemas, do exército às letras de tango? Tornei a pensar no cartão de Nicanor: "Internacional Argentina. Frutos da imaginação." O safado acertou na mosca. Ou, em todo caso, passou bem perto da verdade, como eu. Com uma diferença: eu me recusava a ver nesse fenômeno qualquer coisa além de um vício de identidade que, no meu caso, me estimula e faz viver. Daí a transformá-lo em um movimento qualquer do espírito...

– Eu sei como vai acabar tudo isso – pensei comigo mesmo –, a fortuna dos Sigampa irá cair nas mãos de algum artista sem escrúpulos que irá pintar o chão da Patagônia de violeta e os flancos da cordilheira de laranja. Mas eu não tinha nada a ver com isso, não era o meu dinheiro. Impossível estacionar em Montparnasse. Deixei meu carro na calçada e entrei no La Coupole. O rumor das conversas era ensurdecedor. Nenhuma mesa vazia em menos de vinte minutos. Fui ao bar e me encostei ali, sob um pinheiro de Natal. O período das festas em Paris é interminável. Eu me lembro dos Natais de minha infância argentina. Com quarenta graus à sombra, cobria-se um pinheiro com algodão hidrófilo para imitar a neve que nunca havíamos visto com os próprios olhos e nos fartávamos de peru com castanhas, comida cujo gosto exótico nos repugnava. Um sacrifício anual, em suma, que oferecíamos ao Papai Noel para nos sentirmos de algum modo um pouco europeus... Estava pegando minha taça de champanhe quando duas mãos me cobriram os olhos. Sua dona, uma mulher, rindo de modo histérico, que eu não reconheci. Tentando me desvencilhar de seu abraço, acabei derrubando champanhe na minha gravata *club*. Mafalda Malvinas! Era a famosa artista argentina, a vanguarda da dança e da pintura com maçarico, duas disciplinas que ela misturava a seu bel-prazer.

— Você em Paris? Pensava que estivesse em Cuba! (Ela estava levemente bêbada, como a metade do La Coupole.) O que é que está fazendo aí debaixo desse pinheirinho de Natal? Venha sentar-se à nossa mesa!

Inútil bater em retirada: já tinha sido arrastado para uma mesa onde se espremiam muitas pessoas que eu não tinha a menor vontade de encontrar, começando por meu pai e minha mãe, eternamente fantasiados de hippies. Fui me sentar na outra extremidade, ao lado de um pintor romeno que tinha integrado a comunidade argentina e que tinha a vantagem de jamais dizer uma palavra; fiquei quase esmagado contra ele pela enorme Mafalda, que cheirava a Chanel e a marijuana.

— Como vai a trilogia? — gritou meu pai através da mesa.

— Bem, papai.

No mesmo instante minha mãe lançou um cubo de açúcar que me atingiu no olho, e os dois estouraram de rir.

— Essa noite você pode pedir um guisado, eu pago! — atirou meu pai para desculpar a descortesia de minha mãe.

Desde seu exílio, meus pais se tornaram verdadeiros desconhecidos para mim. Eu saí de Buenos Aires em 1962, deixando uma família responsável e burguesa, sem imaginar a evolução que meus pais sofreriam em minha ausência. Eles descobriram rapidamente o haxixe, os Tupamaros, o LSD e as noites de Havana antes de irem parar num calabouço na Patagônia. Torturados pelos militares, os dois conseguiram assim mesmo fugir no lombo de uma mula através da cordilheira até se transformarem, nunca compreendi como, em cônsules do Uruguai em Paris. É verdade que na época um posto diplomático no Uruguai era facilmente negociável, e eu suspeitava de que meus pais tinham se envolvido com tráfico de cocaína. Em todo caso, eles gastavam uma fortuna consumindo-a. Foi graças a isso talvez que eles chegaram a ter, aos 77 e 79 anos, esse comportamento de adolescentes transviados. Adquiriram o hábito de me telefonar a qualquer hora da noite para me narrar suas proezas sexuais no minitel e negligenciavam suas funções a ponto de o consulado parecer uma casa ocupada pelos sem-teto.

– É o cônsul do Equador – diz meu pai apresentando-me através da mesa a um enorme índio ornamentado por um bigode à Zapata. Perguntei-me se seria militar. Ele mesmo dissipou minha dúvida: "Não sou um militar sujo!"

Toda a mesa explodiu em gargalhada. Eu desconfiava de todos, dos diplomatas bem como dos soldados. Uma jornalista francesa, especializada em reportagens sobre as falsas glórias da literatura latino-americana, estava agarrada nos braços desse novo cônsul, um escritor naturalmente, que sonhava ser editado em Paris. Hélène Tibiana (era assim que ela assinava nos jornais) comia com a mão livre os camarões da paella do cônsul ao mesmo tempo que não parava de falar. Ela me disse em tom confidencial: "Estou escrevendo sobre os argentinos de Paris!" Ela escrevia duas ou três vezes por ano sobre mim, quase sempre textos idênticos, que eu via a seguir publicados em revistas diversas. Os argentinos de Paris não eram muito numerosos; em geral recebiam artigos coletivos, como se eles pertencessem todos ao mesmo movimento artístico. No fundo, não chegava a ser espantoso que houvesse loucos como Nicanor Sigampa para inventar uma Internacional Argentina, já que a imprensa francesa era a primeira a acreditar em algo assim. É verdade que os argentinos que desembarcam em Paris se associam facilmente para criar uma companhia de teatro ou uma escola de pintura, mas na primeira ocasião passam a voar com as próprias asas e fazem o possível para marcar a própria diferença. Todos estão informados dos fatos e atitudes dos outros membros da comunidade; eles se acusam mutuamente de roubarem as ideias uns dos outros. Aliás, foi exatamente isso que me confiou meu vizinho romeno em perfeito argentino: "Roubaram a sua ideia. Eu a vi assinada por Bianciotti no *Le Nouvel Observateur*." Não acreditei numa única palavra. Conheço Hector e sei que seria incapaz de uma baixeza dessas.

Mas, enfim, o rumor corria; vou ter que ligar para Bianciotti para saber dele mais informações. E vou aproveitar para lhe pedir umas linhas sobre minha trilogia.

Minha mãe se levantou, do outro lado da mesa, com uma jarra de cerveja na mão.

– Ergo um brinde à Internacional Argentina!

E todo mundo começou a aplaudir e a beber. De modo que eles também pertenciam à Internacional Argentina.

– Ontem à noite – explicou-me Mafalda Malvinas –, um negro de dois metros irrompeu no La Coupole e perguntou sobre a mesa dos argentinos. Imagine só, ele deu a cada um de nós um cheque de cem mil francos e seu cartão de visita. Depois disso, partiu sem uma palavra.

Ou seja, Nicanor tinha deixado um milhão de francos no La Coupole! Resultado, minha mãe, caindo de bêbada, estava envolvida por uma capa de raposa vermelha flamejante de nova, e já manchada de cerveja, cantando tangos obscenos, e meu pai convidava toda a mesa (inclusive eu) para passar uma semana em Marrakech.

– Quando é que dormiremos juntos? – perguntou Mafalda Malvinas me abraçando.

– Eu pensei que você estivesse dormindo com meu pai.

– Sua mãe é muito ciumenta.

Como tenho horror a essas conversas de bêbados, fui me sentar do outro lado do banco, uma nádega no ar, ao lado de uma jovem que nunca tinha visto. Ela tomava um sorvete verde.

– Sou Darío Copi, o poeta.

– E eu sou Raoula, filha natural de Borges.

Ela usava óculos de lentes grossas e parecia vagamente com seu pai.

– Já havia encontrado muitos filhos naturais de Eva Perón, mas você é a primeira filha natural de Borges a desembarcar em Paris.

Ela pareceu se ofender.

– Li sua obra – ela me disse – comparada com a de papai você é um escritorzinho!

Era bem o tipo de jovem intelectual com quem a gente sonha! Essa noitada estava perdida num nível que chega a ser raro. Teria feito melhor ficando em casa para trabalhar na minha trilogia; teria me poupado da conversa de Nicanor e do espetáculo da intelligentsia argentina no La Coupole.

– Seu guisado! – gritou o garçom em meus ouvidos.

– Eu não pedi nenhum guisado.

– Foi o seu pai.

– Mas nem tenho espaço para esses pratos!

Ele depôs o guisado sobre meus joelhos.

– Come, você está magro demais! – gritou minha mãe através da mesa.

Minha mãe e meu pai sabiam, naturalmente, que eu detestava guisado; essa brincadeira era bem a cara deles. Depois de tudo – disse a mim mesmo, no intuito de tentar salvar a imagem, já bem comprometida, que tinha dos dois – eles mudaram, como todos os argentinos depois de vinte anos de ditaduras e de guerra colonial. Eles enlouqueceram, cada um à sua maneira. Quanto a mim, qual era a minha maneira? A recusa de aceitar a passagem do tempo. Aqueles anos negros não tinham me mudado: malocado no meu apartamento parisiense, aos 47 anos, continuo escrevendo os meus poemas como fazia aos 16. Essa imobilidade do espírito não seria o meu bocado na partilha da loucura geral? Normalmente evito esse tipo de pensamentos; larguei meu guisado sobre o banco e deixei o La Coupole. O vento estava frio e eu tinha um buraco no estômago. Meu carro tinha desaparecido, só podia ser uma brincadeira do reboque. Tanto faz, deixo o meu 2CV de presente para o reboque e, com os quinhentos mil francos de Nicanor, comprarei um Rolls-Royce como o dele. Ninguém reboca um Rolls-Royce. Passantes chamavam os raros táxis que se aventuravam sobre a calçada deslizante. Decidi ir ao Rosebud, que fica a dois passos dali, e onde se prepara um excepcional chili com carne. Lá encontraria um táxi. A sala estava lotada e fui catar um lugar perto da caixa. Depois de uma taça de beaujolais e de um bom chili, a vida ficava um pouco menos negra.

– Eu nem o reconheci – me disse meu vizinho –, você é o filho do cônsul do Uruguai, certo?

– Eu mesmo, e você?

– Eu sou o adido cultural da embaixada argentina, Miguelito Pérez Perkins.

Lembrava-me de tê-lo encontrado num desses intermináveis churrascos em que a comunidade argentina obriga seus filhos franceses a ouvir discos antigos de Carlos Gardel, nosso cantor-herói nacional, nascido em Toulouse, dono de uma voz pegajosa, que usa frases românticas bem torneadas. Uma voz que foi direto no coração de nossas avós índias quando descobriram o rádio, nos anos 30. Carlos Gardel, único imigrante francês conhecido e nesse sentido o mais exemplar, nos liga à França por um sentimento puro no qual se reúnem as duas nacionalidades. Esse senhor de bigode de anchova era então o adido cultural da embaixada argentina. Pedimos dois irish coffees.

– Você já ouviu falar da Internacional Argentina? – perguntei-lhe.

– Desconfie.

– Por quê? – disse, intrigado.

– Você foi contatado?

Perguntei-me se devia contar tudo. Prudentemente, narrei apenas a passagem de Nicanor Sigampa pelo La Coupole, distribuindo cheques de cem mil francos.

– Ele é provavelmente o homem mais rico da Argentina, muito mais rico que um Bemberg ou que um Fortabat. Ele possui a metade das terras cultiváveis, um terço das minas e três quartos do gado. Mas é também o homem mais esnobe de nossa colônia. Manda trazer as melhores vacas de seu rebanho e as abate ele mesmo em sua mansão de Neuilly; as ostras chegam de avião da Terra do Fogo, e ele as abre pessoalmente diante de seus convidados. Em sua casa só se come comida argentina, pães e bebidas inclusive.

Pensei que tinha sido realmente idiota ao desdenhar um suntuoso jantar argentino por um triste chili com carne nesse antro de bêbados.

— Não se tem notícia de vida sentimental do homem — prosseguiu o adido cultural —, embora muita gente diga que é homossexual. Mas você conhece a sociedade argentina, todos os homens solteiros são acusados de homossexualidade. As jovens de boa família esqueceram que era negro para poderem se atirar sobre ele e sua fortuna, mas em vão. Desde a idade dos primeiros flertes, seu coração jamais foi tocado. Estou citando o que disse uma revista de escândalos argentina na época de seu acidente.

— Que acidente?

— Levou um tombo a cavalo durante um encontro internacional do Oxford Polo Club. Um cavalo inglês passou-lhe sobre o crânio. Na época acusaram — erradamente — os ingleses de racismo. Nicanor, afinal, foi educado em Oxford. O fato é que passou cinco anos em coma.

— Cinco anos!

— Cinco anos. Já o davam por morto. Um belo dia, eis que ressuscita, com um comportamento quase normal, fora o choque da morte de seu pai, ocorrida durante o seu coma. Herdeiro de uma fabulosa fortuna, Nicanor decidiu retirar-se dos negócios, limitando-se a supervisioná-los de longe desde que passou a viver em Paris.

— Não vejo nada de duvidoso em tudo isso!

— De tanto distribuir dinheiro a torto e a direito, ele tornou-se provavelmente o maior possuidor de informações sobre as idas e vindas dos argentinos de prol no mundo, e ainda por cima os conhece pessoalmente.

— E daí?

— O governo atual suspeita que tenha ambições políticas.

— Vocês argentinos continuam tão paranoicos quanto nos tempos da ditadura militar! Imagina mesmo que um negro vá disputar a presidência da República de um país onde ele é praticamente o único negro?

— Justamente – respondeu num tom misterioso –, os índios esperam a chegada de um negro porque jamais viram um. Já no período da Conquista, eles aguardavam a chegada de um deus branco, e você sabe a que ponto esse feito aparentemente secundário e pitoresco facilitou a tarefa de Pizarro.

— De todas as teorias políticas argentinas, é a mais delirante que até hoje foi trazida ao meu conhecimento!

Ele retirou de seu bolso uma página de jornal grosseiramente impressa, datada de dois anos, e desdobrou-a. Era um *La Pluma de Posadas*, ilustrada com uma foto de Nicanor Sigampa. "Eis a foto, explicava a legenda, que acompanhava a cédula de cem dólares que você encontrou em seu correio essa manhã, se você mora em nossa província e se o seu carteiro é um sujeito honesto. Com esse presente inesperado, você descobrirá um cartão impresso em caracteres elegantes, dourados: 'Faça frutificar sua imaginação. É um conselho da Internacional Argentina.' Evite que pessoas idosas ou que sofram do coração abram sua correspondência. As autoridades da província dizem ignorar a origem desse dinheiro, mas sublinham todavia, como se fosse necessário, que não se trata ainda do pagamento dos funcionários, um ano atrasados."

– Cem dólares por habitante recenseado! Quantos deles há na província de Misiones?

– Quinhentos mil.

– Isso dá quinhentos milhões de dólares, eu disse, é pouco para comprar uma província desse tamanho. E o que as pessoas fizeram com esse dinheiro?

– Eles o guardaram, isso foi o mais curioso, à exceção de alguns que compraram dois ou três acres de terra para que frutificassem, acreditando que esse era o sentido da mensagem que acompanhava os cem dólares. Em geral guardaram o dinheiro em casa. Vê-se nos ranchos a foto de Sigampa coroada pela cédula de cem dólares e rodeada de velas. Alguns acham que à noite os dólares se multiplicam. O que ocorre é que o espírito mercantil tomou conta de cada um, e os negócios florescem. A província tornou-se um cruzamento de bordéis e contrabando entre Argentina, Paraguai, Bolívia e Brasil. Constroem-se cassinos até ao pé das Cataratas do Iguaçu. E tudo isso graças a esses famigerados dólares.

– É ridículo, não acredito em nada do que diz! E sua ação política parou aí?

— É a prova de sua habilidade; ele não se manifestou mais, apenas fica de olho.

— Em quê?

— Não sei. Suponha que um dia ele desembarcasse por lá: todos o reconheceriam ao primeiro olhar; não esqueça que sua foto, enquadrada em moldura de ouro, se encontra em toda parte, até nas paredes do aeroporto. Um movimento milita agora por sua candidatura ao posto de governador, mesmo que ninguém tenha tido jamais uma prova de sua existência tangível, a não ser por essa única fotografia, e que se ignora até o seu nome, mesmo que familiarmente o chamem de "o Marciano".

— Custo a crer que, numa democracia, o povo de Misiones seja tão crédulo como você diz!

— Está esquecendo a herança dos jesuítas — disse ele, fatalista.

Inimigo dos jesuítas eu mesmo, não suportava, contudo, que alguém além de mim falasse mal deles.

— Você é que é um jesuíta! (Eu o tinha desmascarado.) Você é o pequeno Pérez Perkins que sentava na primeira fila na quinta série.

Nós estudáramos na mesma turma no Colégio do Salvador, o liceu dos jesuítas de Buenos Aires.

— Você não mudou!

— Você também não!

Pedimos outro irish coffee e passamos às lembranças de escola, logo esgotadas. O professor de latim que nos batia com sua régua, as masturbações coletivas, alguns rostos sem nome, alguns nomes sem rosto. Como tudo isso agora estava distante e, Deus do céu, como a Argentina tinha mudado desde então! A porta do Rosebud abriu-se para deixar entrar o bando de meu pai, que havia deixado o La Coupole. Eram uns dez, completamente bêbados e cobertos de confetes.

— Você está aí? Estávamos procurando por toda a parte! (Meu pai, cheirando a gim, colou sua barba à minha orelha:) — Por que é que você contou à sua mãe que eu estava dormindo com Mafalda Malvinas?

— Você sabe muito bem que eu não contei nada à mamãe.

Mas minha mãe já o puxava violentamente pela barba. Mafalda, tentando separá-los, levou um tabefe de minha mãe, mas a coisa parou por aí. Bêbados demais para se estapearem, continuaram restritos aos xingamentos de "corno" e "rameira", uma linguagem cujo uso eu desconhecia entre meus pais.

Hélène, a jornalista, sempre pendurada no pescoço do cônsul do Equador, vomitou seus camarões no momento em que eu abria caminho rumo à saída. Recebi uma parte deles sobre minha gravata *club* e minha camisa, que me vi obrigado a retirar sob os encorajamentos da plateia divertida.

Tornei a vestir meu paletó, a filha de Borges me ajudou a vestir o sobretudo e me abriu a porta. Saí dali para a noite gelada e subi a rua Delambre rumo ao boulevard Raspail. Encontrei enfim um táxi e voltei para casa, furioso com minha noitada. Completamente transido, mergulhei num banho quente.

Não conseguia acreditar que Nicanor Sigampa fosse um aventureiro político; no máximo um megalômano que não sabia como empregar seu dinheiro. O que mais me intrigava nele era justamente a sua indiferença, ele não pedia nunca um agradecimento e tinha quase um sentimento de culpa em relação à sua fortuna. Enquanto qualquer rastaquera de sua espécie vive cercado por um séquito que não o larga jamais, ele só era visto sozinho. De resto, seu presente em dólares à província de Misiones parecia dever-se à pura e simples generosidade. O que havia de extraordinário nesse presente, por mais extraordinário que fosse? Ele não tinha até me explicado seu temor de uma interpretação política da Internacional Argentina? Sonhei com Miguelito Pérez Perkins criança: ele tinha uma coroa de espinhos e recitava os dez mandamentos.

Acordei tiritando na água resfriada do banho. Vesti um roupão e preparei um chá que bebi ali mesmo, sentado, à mesa da cozinha.

– Mas ele é negro, me disse estupefato. Minha recusa a qualquer sentimento racista me tinha feito esquecer esse detalhe enorme, primordial: Nicanor Sigampa era negro! Mais do que de raça negra, ele era negro. Nós, argentinos, não somos racistas. Como poderíamos ser se nunca vimos negros a não ser em filmes ou no estrangeiro? Para nós, um negro não é alguém de outra raça, mas simplesmente um homem branco de cor negra. Essa cor negra possui, para as classes médias argentinas, aquela elegância que caía tão bem à beleza natural e à fortuna de um Nicanor Sigampa. Ele se adornara de sua cor como de uma veste real. O personagem, pensando bem, pareceu-me mais simpático do que nunca. Dormi com a cabeça apoiada à mesa da cozinha. Sonhei que, aluno, estava diante do quadro-negro no lugar de Miguelito Pérez Perkins. Eu também tinha uma coroa de espinhos. Não sabia a lição; o professor (era Raoula, a filha de Borges) me obrigava a comer um pedaço de giz. Acordei rangendo os dentes e sentindo a cabeça pesada; fui para o meu quarto depois de apagar a luz do banheiro. Os lixeiros estavam passando, e já ia fechar as cortinas quando vi a limusine negra de Nicanor estacionada em frente à minha porta. Um chofer paraguaio (não era o mesmo da véspera) estava dando a partida. No banco de trás, dona Rosalyn, a mãe de Nicanor, se mantinha bem ereta. Nossos olhares se cruzaram. Encontrei dois envelopes sob a porta; estavam abertos e não traziam o remetente ou o destinatário. Num deles, um recado de Nicanor: "Perdoe-me se o contrariei, eu suplico." Em outro, escrito com letra antiga: "Nosso filho deseja ser seu amigo. Estamos dispostos a pagar o seu preço." Estava assinado por Rosalyn Faulkner de Sigampa. Fiquei perplexo, mas dois minutos depois já dormia como uma pedra.

3

Às dez horas da manhã tinha gente batendo, chutando a minha porta. Esqueci que María Abelarda, minha ex-mulher, que vivia em Nova York, tinha anunciado que chegaria para uma visita de Natal. Nunca sabia quanto tempo durariam suas visitas, mas sabia que ia estar seriamente ocupado, pois tinha prometido meu manuscrito a um editor panamenho antes do fim do ano. E ainda por cima havia as festas da época. Esperava que María Abelarda não tivesse a intenção de organizar o réveillon em minha casa, ou eu seria obrigado a me hospedar num hotel. Tinha perdido a noção da energia que minha ex-mulher despendia com o único intuito de atordoar e esgotar. Fui muito estúpido ao desposá-la com 20 anos, quando ela tinha essa mesma idade. Nosso casamento durou apenas alguns meses, mas nosso divórcio duraria para sempre. Ela usava uma roupa cor de laranja, e estava rubra, flamejante. Ajudei a trazer suas malas para dentro de casa. Ela tirou seus óculos escuros para me beijar: seus olhos estavam muito roxos.

— Acabo de fazer um lifting – me disse ela – por isso vim me esconder aqui.

— É muito gentil, mas espero que você não tire os óculos, está me assustando.

— Você vai ver que em uma semana estarei divina como no dia do nosso casamento. Sirva-me alguma coisa para beber. Por que é que você mudou todos os móveis de lugar? Esse canapé com a boca de Dalí está fora de moda, e esse biombo de Andy Warhol é simplesmente ridículo! Por que é que não joga tudo de uma vez no lixo? Na sua idade, você deveria tentar móveis ingleses, pode deixar que eu escolho, não tenho nada mesmo para fazer aqui em Paris. Um dry martini, embora eu não possa beber por causa do lifting. Meu marido me deu de presente essa safira enorme, olha só!

— Como vai o Julio? (seu atual marido, um venezuelano, marchand em Nova York.)

— Não sei quanto tempo isso vai durar — respondeu ela em tom lamentoso. — É bem verdade que ele me deixa fazer tudo o que quero, mas não se ocupa nunca da minha pintura. Ele tem medo de que, se eu ganhar a vida bem demais, acabe por abandoná-lo!

María Abelarda não tinha a menor necessidade de ganhar bem a vida. Ela me deixou aos 21 por um rico marchand de arte espanhola, depois foi um grego, depois um venezuelano. Especialista em quadros, ela guardou de seus sucessivos casamentos uma importantíssima coleção de obras modernas que a enriqueciam sem parar, mesmo que socialmente ela preferisse se passar por artista. Seu charme, mesmo que 25 anos de casamentos alcoólicos tenham comprometido seriamente seu frescor, continuava a funcionar nos meios onde ela reinava. Ela usava várias modas superpostas que, separadamente, não teriam dado certo, mas cuja adição lhe conferia um ar sofisticado. Sob seu impermeável laranja e seu chapéu verde de chuva ela escondia uma cabeleira ruiva, uma minissaia em tecido de poncho e um sári dourado, tudo realçado por joias bem díspares. Descalçou seus saltos agulha e pediu que eu massageasse seus pés, como quando tínhamos 12 anos. Eu me recusei.

– Com quem você está morando?

– Moro sozinho.

– Nenhum caso, nenhuma amante? Você não tinha um gato?

– Eu o estrangulei.

Sem saber direito se eu estava brincando, ela riu, mas não pediu mais que lhe massageasse os pés.

– Quer dizer que você virou um verdadeiro lobo solitário?

– Sim.

– Então dormiremos em quartos separados?

– Não tenha a menor dúvida. Você vai dormir na sala.

– Como assim, na sala?

– Ou você pode ir para o consulado de meus pais, lá há muitos quartos vagos.

– Eu não suporto os seus pais, fico por aqui. Mas quem vai dormir na sala é você!

Ela tomou uma ducha sem fechar a porta do banheiro e sem parar de falar. Permaneci plantado no meio das suas coisas espalhadas, com as mãos na cabeça. Em cinco minutos fiquei sabendo das fofocas de toda Nova York (quer dizer, seus amigos) de seis meses para cá. María Abelarda pertencia a um grupo de artistas que, desde 1965, com o sucesso relativo que se conhece, tentava impor o happening como arte absoluta. Ela tinha organizado happenings no Central Park, no Capitólio, no Escorial, em Avignon e até na Disneylândia, reunindo artistas plásticos de vanguarda cuja voga era no mais das vezes tão efêmera quanto o próprio happening. Para despir um roqueiro em público, ela pedia uma roupa a Karl Lagerfeld e um texto a Arrabal, ou o contrário. Um líquido prateado era aspergido sobre o público com a ajuda de um extintor de incêndio manejado por uma modelo famosa ou por César em pessoa, e tudo no meio da confusão proporcionada por duas orquestras que tocavam, simultaneamente, a primeira, uma sinfonia de Beethoven; a segunda, o sucesso mais recente da salsa, sem contar algumas vacas assadas cuja fumaça mal servia para disfarçar a do haxixe, cabras recém-pintadas de vermelho, das quais valia mais não se aproximar, e uma profusão de galinhas brancas espantadas. Seus patrocínios eram mais para modestos, mas, de tanto insistir, conseguiu uma bolsa Guggenheim vitalícia que lhe permitia garantir dias melhores para o happening até o ano 2000, quando o último hippie fumaria seu último baseado.

— Minha clientela rejuvenesceu muito ultimamente, gritava María Abelarda lá do banheiro. (Cada frase me chegava numa nuvem de vapor.) No meu último happening no Columbus Center, havia espectadores adolescentes!

— Sem dúvida os netos dos hippies que saíram aos avós!

Foi o que respondi, mas ela não me ouvia. Obcecada por rejuvenescimento, tentava atrair uma clientela de menores de idade cujo comportamento lhe escapava. Continuava praticando o *streaking*, jogo que consiste em se despir de improviso num lugar público. Sua melhor amiga, que a detesta, me contou que ela armou um *streaking* numa sala do Carnegie Hall durante um concerto de Yehudi Menuhin. Ele prosseguiu regendo sem pestanejar, e o público agiu como se não tivesse percebido nada até o final do concerto. Furiosa, ela teve que tornar a se vestir sozinha, depois de haver recolhido suas roupas íntimas engatinhando entre as pernas dos espectadores que deixavam a sala.

— Estou abrindo uma loja em Nova York! – disse ela saindo do banheiro, "coberta" por uma toalha que lhe tapava apenas as nádegas.

— Uma loja de roupas?

— Uma loja de tudo!

— Todos os argentinos têm uma loja no fundo do coração – disse eu de brincadeira.

Ela pareceu ofendida.

– Eu não estou abrindo uma loja em Buenos Aires, mas em Nova York!

– Quem está bancando?

– Eu tenho uma bolsa de uma nova organização: a Internacional Argentina.

– Uma bolsa para abrir uma loja?

– Não se trata de uma loja qualquer! É a minha loja!

– Você faz com que lhe paguem uma loja na sua idade? Vocês, argentinas, são todas umas putas, e os argentinos são todos uns gigolôs!

Ela me pegou pelo roupão com as duas mãos para me sacudir.

– O que é que você tem contra os argentinos, seu filho da puta? Você pensa que é o quê? Um inglês? Você não passa de um escritor fracassado, é por isso que você detesta a espécie humana! O que é que você tem contra as lojas, logo você que publica nas revistas mais medíocres da América Latina?

Dei-lhe uma bofetada. Ela conseguiu arranhar meu rosto e minha mão. Fui refugiar-me em meu quarto e girei a chave. Enquanto me vestia, María Abelarda descarregava suas baterias contra minha porta, me chamando de "argentino de merda". Coloquei meus manuscritos – dez cadernos repletos –, dois cadernos em branco e alguma roupa íntima numa pequena mala que lancei pela janela. Meu quarto fica no primeiro andar, dando para o pátio; foi muito fácil descer me amparando num galho do castanheiro.

Saí à rua; era um belo dia para a estação, e o sol brilhava sobre a neve. Rico, por causa dos dólares de Nicanor, eu ia passar no meu banco para comprar traveller's cheques e me apressava para ver se conseguia ainda pegar o avião das Aerolíneas Argentinas que partia naquela noite mesmo. Só na Argentina estamos protegidos dos argentinos, e lá ninguém sonharia em vir me procurar. Minha intenção era me instalar na costa atlântica, a algumas centenas de quilômetros de Buenos Aires, num pequeno hotel aonde ia para escrever quando era jovem. Mas quem sabe, hoje, em que estado de poluição poderia estar o lugar, sem falar na urbanização e no turismo.

Mal cheguei à esquina e praticamente me arrancaram a maleta da mão. Era Nicanor Sigampa, sorrindo com todos os dentes.

– Essa maleta é pesada demais para você.

Sua limusine travava a circulação. Nicanor me fez sentar no banco de trás e sentou-se a meu lado. Um vidro nos separava do chofer.

– Para onde está indo assim?

– Vou para Buenos Aires! Em Paris há argentinos demais.

Isso o fez rir. Prossegui:

– Hoje de manhã recebi a visita de minha ex-mulher, que vive em Nova York, ela me disse que estava abrindo uma loja com o seu dinheiro. Você tem a intenção de comprar a colônia dos artistas como você comprou a província de Misiones?

Ele ria de fazer a limusine tremer.

— María Abelarda é uma amiga de longa data! Eu a conheci antes de você, nós fizemos maternal juntos!

— E os cheques que você distribuiu no La Coupole?

Seu rosto se fechou.

— Você sabe que muitos de nossos artistas sofrem no inverno por causa do frio e da nostalgia. O que é mais natural do que lhes oferecer um pequeno presente de Natal?

Não soube o que responder. Tive de repente a impressão de estar incomodando. No fim das contas, o que Nicanor Sigampa fazia com seu dinheiro não me dizia respeito.

— Desde ontem, estou num estado de exasperação constante contra você; peço que me desculpe se meus modos parecem altivos ou inquisitórios, mas é a verdade: você me é in-su-por-tá-vel! Faça com o seu dinheiro o que bem quiser, mas me deixe em paz!

O carro, depois de contornar a Place de la Concorde, subia pelos Champs-Élysées.

— Você é especial, Copi. Você é o cidadão mais honesto da República Argentina!

— Depois de você! Pode me explicar por que é que distribui seu dinheiro em nome dessa sociedade secreta sem tirar disso o menor lucro?

— Você se engana – disse ele pondo os polegares sobre sua gravata verde-pistache –, se imagina que não tiro nenhum lucro disso. Muito pelo contrário, tiro na verdade um duplo lucro, digamos. Um de ordem moral e, depois, o de ter conhecido você.

— Mas por que eu?

— Eu já lhe disse, você é o único homem honesto de nosso país.

— Admitindo que seja verdade, por que me quer em sua organização? Porque, torno a insistir, se você está encantado em me conhecer, eu, de minha parte, estou profundamente incomodado com você! Supondo que eu seja um homem honesto, e até mesmo o mais honesto do mundo, eu gostaria muito mais de ser reconhecido por outras qualidades. Até você, eu presumo, não deve gostar muito quando se aproximam de você pelo seu dinheiro! E, quando você diz que eu sou honesto, imagino que você fale de honestidade intelectual, porque, quanto ao resto, eu não o sou, como todos os intelectuais.

Ele deu umas palmadinhas em meu joelho.

— Você sabe que, levando-se em consideração os argentinos no mundo inteiro, você é um dos poucos que nunca estiveram na prisão, que nunca contrabandearam nada, que nunca exprimiram a menor ideia política?

— Se você está dizendo, deve ser verdade, embora eu não veja nisso nada de tão honroso. Eu também não sou um escritor muito conhecido, mas pode estar seguro de que sê-lo é a minha ambição.

— Por que se aferra tanto a essa ideia de reinar sobre um mundo de baleias fictícias e pampas varridos pelo vento a vinte mil quilômetros quando as baleias estão aqui, e os pampas estão aqui, ao alcance de sua mão?

— Não possuo uma fortuna como a sua.

— Quanto ao dinheiro, pode deixar que disso eu me ocupo.

— Vai me comprar uma estância na Patagônia para que eu possa encontrar ali a inspiração?

— Melhor do que isso: eu quero lhe oferecer o país inteiro.

Agora estávamos sendo escoltados por motociclistas, pois o chofer, inadvertidamente, passou a seguir o cortejo de um presidente negro, de quem se percebia, através do vidro, a nuca reluzente sob o chapéu. Apesar do frio, de cada lado dos Champs-Élysées, uma multidão de negros em trajes nacionais agitava bandeirinhas multicoloridas. O presidente os saudava com a mão enluvada de branco pela janela.

Agora estamos enrolados, disse a mim mesmo apesar da indiferença de Nicanor e do chofer.

— Quero fazer de você o presidente da República Argentina!

Alguns partidários do presidente africano avançavam nas calçadas para agitar mais de perto suas bandeirinhas; Nicanor, sob a instigação do presidente, acenava para a multidão. Chegamos enfim ao Arco do Triunfo, onde nosso carro se destacou do cortejo, que parou para deixar flores. Eu não estava seguro de ter entendido bem.

— Você quer fazer de mim o presidente da Argentina?

Ele pôs a mão sobre o meu joelho e ficou sério.
– Nas eleições de 90, se andarmos depressa.
– Você quer dizer que tem a intenção de financiar minha campanha eleitoral?
– Tenho os meios.
– Mas por que eu? Por mais honesto que eu seja, não tenho a menor ambição política nem a menor ambição de qualquer tipo, a não ser de ordem literária. Você encontrará facilmente um substituto.
– Você não me compreendeu. Não se trata nem dessa presidência e nem dessa República que nos habituamos a suportar; eu falo de uma nova República e, forçosamente, de uma nova presidência, mais humana, mais imaginativa, enfim, de tudo o que você já encarna naturalmente enquanto simples cidadão. Você será presidente, mas continuará sendo você mesmo.
– E você, em tudo isso?
– Só quero um cargo irrisório, o de jardineiro, como o imperador da China foi o jardineiro de Mao. Adoro jardins, estou certo de que você irá passar uma grande parte de seu tempo passeando entre as magnólias que irei plantar na quinta presidencial.
– E quem se ocupará do país?
– Ninguém, essa é a novidade. Nada de exércitos, nada de câmaras, nada de ministérios, nada de organismos de Estado. Começaremos do zero!
– Você está propondo a anarquia?

— Bobagens! Os argentinos não são anárquicos por natureza, aliás, ninguém é! Eles se organizarão muito bem sozinhos, eles sempre sonharam com isso! A Argentina possui o mais precioso dos potenciais, e é a imaginação!

— E a lei?

— Os juízes podem fazer o que quiserem. Terão o reconhecimento merecido se derem prova de imaginação, como qualquer um. E se as energias disseminadas através do mundo por cérebros como o seu retornarem ao país, em breve seremos o paraíso na Terra! Um paraíso ateu, naturalmente, apressou-se a acrescentar, conhecendo os meus princípios.

— Isso não me convém.

— O que é que não lhe convém?

— A presidência da República.

— Oh, eu não estava esperando que você aceitasse assim, de primeira, não é o seu gênero! Vou lhe dar tempo para refletir. O que me diz de almoçarmos no Lipp?

— Eu ainda tenho a firme intenção de partir esta noite para Buenos Aires e preciso antes passar no banco.

— Tenha um pouco de paciência, quando você voltar a Buenos Aires não será como um simples cidadão. O que me diz do Lipp?

— Obrigado, mas não hoje.

— É verdade que você não aprecia o contato com o povo, mas isso virá. Qual o seu restaurante preferido?

Era óbvio que com ele eu nunca conseguiria chegar ao aeroporto.

– Vou para casa agora, deixei a pobre María Abelarda sozinha – pretextei de modo pouco convincente, mas Nicanor aceitou passar meu endereço para o chofer. Pensei por um minuto que ele iria tentar me sequestrar.

– Transmita a María Abelarda meus sinceros cumprimentos e não deixe de lembrá-la de que pode contar comigo para o que quer que precise. A propósito, vocês ainda estão casados?

– Mais ou menos. Sim, para a lei argentina, mas nos divorciamos no México, e María Abelarda se casou duas ou três vezes depois. Por que pergunta?

– Você sabe que um presidente da República Argentina deve ser casado.

Imediatamente imaginei María Abelarda no papel de Eva Perón, papel com que ela terá certamente sonhado algum dia, como todas as argentinas. Será que ela insistiria para ser a vice-presidente, como Eva, e manipularia os meus ministros? Seria tão popular quanto ela? Certamente mais do que eu, como sempre aconteceu. Tremi ao pensar nos vestidos com que se arvoraria sobre o balcão da Praça de Maio, inflamando a multidão.

– E o exército nisso tudo?

– Nós o transformaremos em exército de mercenários. Poderemos alugá-lo para os países vizinhos, para as guerras que eles sempre sonharam declarar.

— Mas serão sempre guerras entre países limítrofes sobre conflitos de fronteira! – exclamei.

— Isso pouco importa, desde que não sejam contra nós. A cada guerra, ficaremos com uma parte do território conquistado. Não esqueça que é em boa medida por isso que a Argentina tem as grandes dimensões que tem hoje em dia!

Chegamos à minha casa.

— O que vai fazer hoje à noite? Gostaria de convidá-lo para a Ópera, com María Abelarda. A montagem é de Lavelli, que é argentino.

— Obrigado, mas esta noite temos compromisso.

— Amanhã, talvez?

— Está bem, ligue amanhã.

Apanhei minha maleta e deixei Nicanor na calçada.

4

Encontrei a porta de meu apartamento trancada por dentro; toquei a campainha por um longo tempo e já ia tentar entrar pela janela do meu quarto quando María Abelarda abriu. Usava um vestido de cetim negro com uma pequena cauda, o decote exibia a ponta dos seus seios. Seu cabelo ruivo flamejava sobre os ombros. Lembrei o quanto era parecida com Rita Hayworth, uma semelhança de que tirou partido quando jovem. Um odor fresco de perfume americano flutuava pelo apartamento.

— É assim que você se veste para jantar?
— E é tudo só pra você, meu querido.
— Pare, María Abelarda! Você bem sabe que há dez anos não tenho mais vontade de dormir com você.

Só então me dei conta de que havia alguém na sala, enfurnado numa poltrona. Ninguém menos do que Miguelito Pérez Perkins, meu condiscípulo no colégio dos jesuítas.

— Você acordou cedo hoje! — exclamei, de mau humor. — Se você pensa que eu vou topar um grupal com um colega de escola, está muito enganada!

María Abelarda explodiu.

– Decididamente, você me toma pela última das rameiras! É a primeira vez que vejo este senhor!

– Eu vim aqui vê-lo – murmurou Miguelito, enrubescido pela confusão.

– E você imaginou que uma briga de bêbados no Rosebud lhe daria o direito de entrar em minha casa sem me avisar?

– Fui eu quem lhe disse que viesse quando ele ligou – interveio María Abelarda –, ele tem algo urgente para lhe dizer.

Miguelito se levantou, segurava ainda o chapéu.

– O embaixador da República Argentina desejaria ter uma conversa o mais rápido possível com você.

Compreendi de imediato a relação com o assunto de Nicanor Sigampa.

– Ligue para ele – eu disse, apontando-lhe o telefone.

María Abelarda nos serviu dois dry martinis em uma bandeja dourada.

– De onde saiu essa bandeja? – perguntei.

– A Cartier acabou de mandar, foi você que comprou?

– Eu? Comprando uma bandeja de ouro na Cartier?

– O embaixador da Argentina – anunciou Miguelito, passando-me o fone.

– Querido Copi, gostei muito do seu último livro...

Desde que eu tinha ido viver em Paris, os diplomatas argentinos (que eu evitava cuidadosamente) se haviam sucedido numa tal velocidade que eu os confundia todos, como as lembranças do Colégio do Salvador.

— Em que posso ser útil, senhor embaixador?

María Abelarda arrancou o fone de minhas mãos.

— Johnny, sou eu, María Abelarda, meu coelhão! Venha almoçar com a gente! Como assim, o que estou fazendo aqui? Eu sou ex-mulher do Copi, você não sabia? (Desligou e, já furiosa, me encarou:) Agora vai me chamar de vadia porque sou amiga de Johnny! Você esquece que sou uma das artistas argentinas mais convidadas pelas embaixadas!

— Mas o que é que serviremos no jantar para o seu coelhão?

Era meio-dia e meia e eu começava a ficar com fome.

— O embaixador vai trazer carne argentina... — disse Miguelito. — Ele tem sempre muitos quilos guardados num refrigerador que mandou instalar na mala de seu carro.

— Eu tenho o caviar que roubei da primeira classe da Air France... — disse María Abelarda, enquanto Miguelito ia para a cozinha descascar algumas batatas. — Algum de vocês sabe cozinhar batatas?

María Abelarda deixou Miguelito preparar um cigarro de ópio — ao que parece isso tinha voltado à moda em Nova York — para cozinhar as primeiras batatas de sua vida. Compreendi então qual das suas mudanças me incomodava mais, muito mais que as cicatrizes do lifting ao redor dos olhos: María Abelarda estava à procura de um novo marido e recorria às armas mais vulgares das sedutoras ingênuas: vestido decotado e ar de cozinha burguesa. No fim das contas, isso não me dizia respeito, mas por que diabo tinha que vir fazer isso na minha casa! Miguelito, bem encastoado em sua poltrona, preparava com cuidado o cigarro de ópio na aba do seu chapéu.

— E então – perguntei-lhe –, como acabou aquela encantadora noitada no Rosebud?

— Mal... – disse ele num suspiro. – O cônsul do Equador se bateu em duelo com seu pai.

— Duelo?

— A golpes de garrafa. No meio da rua, às quatro horas da manhã, encorajados pelos fregueses que, é claro, foram todos para a calçada. O cônsul do Equador escorregou e quebrou uma perna.

— E meu pai?

— Só levou uma garrafada na cabeça, na verdade dada por sua mãe, que não queria deixá-lo duelar.

— Mas por que se bateram?

— O cônsul do Equador insinuou que, no consulado de seus pais, os canapés servidos nas cerimônias oficiais eram roubados do restaurante universitário do Equador.

— Você devia ter ao menos tentado impedi-los de chegar a esse ponto. No fim das contas, você era o único diplomata argentino presente!

— Infelizmente, eu mesmo estava fora de combate no momento em que tudo aconteceu.

Afastou a ridícula franja que cobria sua testa e ocultava um esparadrapo.

— Uma garrafada?

– Não, uma cadeira!
– Meu pobre velho! Mas então foi um verdadeiro quebra-pau! E quem lhe fez isso?
– Raoula.
– Raoula, a filha de Borges? Ela de fato parecia perigosa! E como é feia! Mas por que resolveu atacar logo você?
– Ah, não foi nada grave, ela é minha noiva.

Não pude me impedir de rir e apressei-me a pedir desculpas.

– Eu sei que Raoula pode parecer estranha sob muitos aspectos, mas não se deve esquecer que teve uma infância muito difícil, dividida entre seu pai, que queria educá-la à inglesa, e sua mãe, que queria educá-la à portuguesa. Sem falar que seu pai não a reconheceu como filha legítima a não ser uma semana antes de morrer, há apenas dois anos. Isso transtornou sua vida. Antes, ela se chamava Raoula Rodrigues, ninguém prestava atenção nela. Agora se converteu numa personalidade dentro da colônia argentina.

– Longe de mim criticar sua escolha, aliás, é muito fácil perceber que, em matéria de mulheres, não posso atirar a primeira pedra. De resto, melhor uma mulher que lhe bate antes do casamento, isso nos protege das péssimas surpresas.

– Você se engana se pensa que ela me bate constantemente, foi a primeira vez que isso aconteceu e, em grande parte, foi culpa minha. Tive a péssima ideia de falar de modo um pouco esnobe sobre Nicanor Sigampa. Ela é muito ligada a ele. Ele financia a Fundação Borges.

– Em que consiste essa fundação?

– Ela distribui dinheiro a jovens escritores talentosos.

– Quer dizer, jovens escritores como você.

– Eu não tenho vergonha de ter recebido dinheiro da Fundação Borges. De resto, sou o mais fervoroso admirador do escritor. Quanto a Raoula, apesar de nossa briga de manhã, pensamos em nos casar dentro de uma semana, no dia de Natal. Você, logicamente, está convidado para a cerimônia, bem como para a recepção que ocorrerá na embaixada argentina.

– Muito obrigado, não quero tirar o pão da boca dos estudantes!

– Você é terrível; você nos acusa de sermos uma embaixada de segunda ordem, quando sabe muito bem que no capítulo da restauração somos os melhores depois dos australianos. E ainda por cima nosso corpo diplomático conta com as mulheres mais elegantes do mundo das artes, sem falar nas modelos e nos fotógrafos da alta costura parisiense. Ou seja, não se pode comparar nossa embaixada com o consulado de seu pai, mesmo que o Uruguai, país de tradição mais antiga que o nosso, esteja passando no momento por uma conjuntura econômica infeliz.

O telefone tocou; era meu pai.

– Meu querido, eu tenho uma coisa muito séria para lhe confessar, mas não diga uma única palavra sobre isso à sua mãe! Estamos arruinados! Perdi o consulado no cassino!

– Como assim, perdeu o consulado? Ele não lhe pertencia!

– Justamente! Preciso arranjar vinte milhões de francos em uma semana. Você poderia me emprestar essa quantia?

– Você enlouqueceu? Acredita mesmo que tenho vinte milhões no bolso?

Papai começou a chorar no telefone; nada me irritava mais. Além do mais, eu tinha certeza de que se tratava de uma mentira para me arrancar dinheiro. Não seria a primeira vez.

– Nenhuma palavra sobre isso à sua mãe – ficou repetindo entre soluços.

– Quando perdeu esse dinheiro?

– Ontem à noite, no cassino de Deauville!

– Ontem à noite você não estava em Deauville, mas em Montparnasse, onde levou uma garrafada da mamãe às quatro horas da manhã!

Meu pai, confuso por ser pego em sua patética mentira, gaguejou:

– Não foi ontem, foi antes de ontem, eu... eu acho.

– Antes de ontem você passou a noite comigo!

Desliguei, furioso.

– É difícil ter pais como os seus... – disse Miguelito que ainda enrolava seu cigarro de ópio. – Não sei se devia lhe dizer, mas seu pai está pensando em vender a mansão do consulado do Uruguai. Já me confiaram que ele alugou o primeiro andar para um salão de bilhar onde só se joga a dinheiro, mas fala-se tanta coisa...

Bateram na porta. Cheguei junto com María Abelarda para abri-la. Era o empregado paraguaio de Nicanor. Ele tinha uma pequena bandeja, dessa vez de prata, sobre a qual estava depositado um envelope de papel de seda prateado. Dei-lhe dez francos. Ele quis deixar a bandeja comigo. Recusei, naturalmente. Era um recado de Nicanor: "Posso vê-lo hoje à noite? Espero seu telefonema."

– Você também conhece Nicanor? – perguntou María Abelarda, que lia sobre meus ombros. Quanto ele lhe deu?

– Não é da sua conta!

O telefone tocou.

– É a senhora sua mãe – disse Miguelito me passando o fone.

– Feliz aniversário, meu querubim!

– Obrigado, mamãe; eu tinha esquecido que era hoje.

– Uma mãe não esquece jamais o aniversário de seu filho adorado! Nós lhe preparamos uma grande festa no consulado do Uruguai amanhã à noite. Venha de smoking!

– Mas, mamãe, você sabe que eu não tenho smoking. De mais a mais, eu odeio esse tipo de festa!

– Pouco importa, é seu aniversário, e ponto final. Se você não tem um smoking, você vai comprar um smoking! Você não está mesmo pensando que eu e seu pai, arruinados como estamos, vamos continuar lhe dando presentes de aniversário como se você ainda tivesse 5 anos! Pense um pouco em todo o dinheiro que vamos gastar com você amanhã à noite.

– Mamãe, você está bem segura de que é hoje o meu aniversário? Eu nasci em agosto. Nós estamos em dezembro.

– Você nasceu em dezembro de 1941!

– Mamãe, eu juro que nasci no dia 12 de agosto de 1940. Você está me confundindo com minha irmã Juliette.

– Uma mãe nunca se engana com as datas de aniversário! E, se for necessário, ela tem o direito de modificá-las como bem quiser.

– Está bem, mamãe.

– De smoking, entendeu? Até amanhã!

Murmurei um "Está bem, mamãe", mas ela já tinha desligado. Miguelito me estendeu a mão.

– Feliz aniversário, camarada! Nós temos a mesma idade!

Eu quase não tinha dormido na noite anterior, e o sono começava a ultrapassar a fome.

– Contanto que nosso embaixador chegue cedo... – eu disse me deixando cair numa cadeira – porque depois de comer penso em tirar uma típica sesta argentina...

Alguém tocou. Miguelito subitamente voltou a ser um simples empregado e precipitou-se para abrir. O embaixador tinha uns 60 anos; o bigode grisalho e as roupas de flanela deixavam adivinhar um radical tradicionalista, mas bon vivant. Trazia numa correia o que inicialmente tomei por um enorme cão amarelo, mas era um puma.

— Não tenham medo, ele tem os dentes e as unhas limados — alertou, com um riso jovial.

— O embaixador Juan José Péres Sanchulo — disse Miguelito fazendo a apresentação.

María Abelarda se extasiava com o puma; acariciou-lhe a cabeça, mas o animal, bem arisco, deu um salto acima de nossas cabeças e foi se refugiar em meu quarto.

— Ele não os conhece ainda muito bem, mas num instante vocês o verão doce e carinhoso como um gato castrado. É a hora do seu valium, que ele toma com o almoço.

O chofer da embaixada, ereto e rígido sobre a soleira da porta, trazia em seus braços um pacote envolto num tecido que parecia um bebê.

— Onde posso colocar a carne, Excelência?

— Proponho que passemos à mesa — eu disse —, porque estou morrendo de fome!

María Abelarda tinha decorado a cozinha como um harém, com soberbos véus suspensos nas paredes e nas janelas, e uma luz laranja no lugar da iluminação habitual. No centro da mesa, uma panela de água fumegante, ao fundo da qual se viam três batatas com casca. Miguelito se apressou a cortar os *steaks* e grelhá-los, enquanto atacávamos o caviar roubado da Air France, regado de champanhe argentino trazido pelo embaixador, delicioso, mas sem bolhas. O embaixador, com os bigodes constelados de caviar, abriu fogo.

— Dizem que é muito amigo do senhor Sigampa. Quase nos encontramos esta manhã no Arco do Triunfo onde eu mesmo fui depositar uma coroa de flores, mas a limusine de vocês sumiu de repente.

— Nós não estávamos ali para depositar flores, nosso carro se viu no meio do cortejo por acaso — expliquei secamente.

— Qualquer cidadão pode depositar flores no Arco do Triunfo, se esse for o seu desejo. O senhor Sigampa é um homem muito original. De resto, o que não lhe falta é dinheiro para comprar uma coroa de flores!

— Se você veio aqui para falar mal do senhor Sigampa, como o chama, creia-me, senhor embaixador, que já estou me habituando a esse tipo de atitude. Pegue uma batata, foi María Abelarda quem as cozinhou com suas próprias mãos!

María Abelarda, sem se incomodar muito, roçava os pés do embaixador por debaixo da mesa. Miguelito nos serviu grossos *steaks* argentinos calcinados.

— Eu não vim para falar mal de Sigampa, caro amigo, muito pelo contrário. O governo que eu represento e eu mesmo temos todos os motivos para crer em sua boa-fé, que ele nos testemunhou em algumas ocasiões. Você sabe que é ele quem paga o aluguel de nossa embaixada? Sem isso já teríamos sido despejados de lá há muito tempo. Trata-se, porém, de um homem difícil de abordar. Há um ano espero por uma entrevista com ele. Invariavelmente manda dizer à minha secretária que ligue na semana seguinte.

— Está no direito dele, suponho.

— Claro, claro, mas assim mesmo não se pode esquecer de que sou seu embaixador.

— Se estou compreendendo bem, você conta comigo para conseguir uma entrevista com Sigampa?

— Não, não creio que isso funcionasse. — (E, com o aspecto subitamente apreensivo:) — Podemos conversar em particular?

Apesar do ar contrariado de María Abelarda, levei-o para o meu quarto e tranquei a porta. O puma dormia em minha cama, que antes tratou de abrir com as unhas. As plumas do travesseiro se espalhavam pelo quarto.

— Ele não é simplesmente soberbo? — exclamou o embaixador. Eu mesmo lhe dava a mamadeira; é o mais belo espécime de nossa província! Minha mulher e eu o amamos como se fosse nosso filho; ele dorme conosco em nossa cama.

Imaginei o estado de sua cama, pelo que a fera havia feito com a minha.

— Ele não consegue se habituar ao frio de Paris — disse o embaixador com tristeza. — Ele não tolera o capote que minha mulher lhe comprou e acaba caindo em fases de profunda melancolia — ou então se torna malvado e morde sua babá. Levei-o a um psicanalista de cães, mas quase o devorou.

O embaixador sentou-se com toda a familiaridade em minha cama, as costas apoiadas contra as costas do puma, cujos roncos dobraram de intensidade.

Um cheiro nauseabundo invadiu o cômodo; pensei inicialmente que vinha da janela que, entretanto, estava fechada.

– Foi meu puma, ele peida sem parar quando dorme.

Corri para abrir a janela, apesar do frio. O embaixador acendeu um charuto.

– Pode deixar, o cheiro de meus charutos apagaria até os peidos do diabo!

Riu ruidosamente antes de peidar generosamente ele próprio. Tornei a abrir a janela.

– O caviar me dá gases, sofro um verdadeiro martírio nas recepções das embaixadas dos países do Leste, nas quais só servem isso!

– Quis essa conversa particular para me fazer uma conferência sobre os seus gases, senhor embaixador?

Fui o primeiro a me chocar com a vulgaridade dessa pergunta, mas como tratar de outro modo um personagem tão repugnante? Ele ficou um momento concentrado em seu charuto. O ar tornou-se de novo respirável; fechei a janela.

– O dinheiro é excremento... – disse ele, enfim, com um suspiro. – Você provavelmente vai achar meio chocante, para um embaixador, a minha franqueza, mas o que é que quer?, fomos educados para vender vacas, não para as sutilezas da diplomacia. Lá se vão ao menos vinte anos que teria abandonado a carreira, não fosse pela ambição de minha mulher. Vou pagar a vida inteira o fato de ter me casado com a filha de um conservador! Você, que é um homem puro, um poeta em suma, você deve me compreender. Você não tem ideia da emoção com que li sua última ode, "O caminho solitário", eu creio. Você descreve um garoto índio que se revolta contra a sociedade e põe fogo na escola, pois bem, esse garotinho sou eu! Todos os dias eu sonho pôr fogo na embaixada e contudo... nunca ousei, porque sou um covarde! Quem poderia me compreender melhor do que você, que tem mais imaginação do que eu?

Decididamente, a imaginação passou a fazer sucesso na Argentina, depois da partida dos militares.

– "A imaginação, que pode nos emocionar com um sorriso, pode igualmente fazer surgir um gêiser de petróleo no deserto ou, por que não?, fazer as vacas entrarem sozinhas no estábulo."

O embaixador acabava de citar uma estrofe da minha ode maoista "O sol vermelho dos pampas", que escrevi aos 17 anos e que detesto; nunca consegui comprar os últimos exemplares, que às vezes aparecem aqui e ali.

– É por essa razão – continuou ele – que me sinto autorizado a lhe revelar meus infortúnios. Conto com sua discrição!

– E quais são os seus infortúnios, senhor embaixador?

– Meu infortúnio, meu profundo infortúnio, meu caro Copi, é que em vez de ser embaixador do Japão ou de um país da comunidade europeia, eu sou de um país que ninguém leva a sério!

— Está exagerando — disse eu, ferido em meu amor-próprio de argentino. — Nos tempos da ditadura militar nós éramos, é fato, considerados como uma republiqueta, mas desde a chegada do doutor Alfonsín ao poder, nosso prestígio não podia ser mais alto nos países democráticos!

— Mas a dívida — disse suspirando —, a dívida... Nós devemos quatro bilhões de dólares para o Fundo Monetário Internacional, sem contar os juros!

— É verdade, tem a dívida. Mas em que essa dívida lhe concerne pessoalmente?

— Minha carreira depende dela!

— Não vejo como a dívida externa argentina pode decidir sobre a carreira de um embaixador! Todo mundo sabe que vocês não servem para nada e que são pagos para fazer figuração no cinema diplomático! Vocês são quase tão úteis a nosso país quanto seu puma!

Achei que ele ia se incomodar com isso. Pôs-se a chorar como uma criança.

— E tudo por causa desse maldito Sigampa, que teve a péssima ideia de vir instalar-se aqui. O governo argentino me pôs contra a parede: ou obtenho de Sigampa um empréstimo de quatro bilhões de dólares ou perco a minha embaixada!

— Quatro bilhões de dólares!

— Não é nada para Sigampa. Ele é um dos homens mais ricos do mundo. Se ele não nos emprestar essa quantia, é porque deseja a queda do governo! A razão? É um homem apolítico (compreende-se, dada a sua cor) e um patriota irrepreensível (sem dúvida também por causa de sua cor). Mas já faz um ano que ele recusa qualquer contato com um enviado do governo. Por ocasião da última viagem do presidente Alfonsín a Paris, fui insultado em público pelo presidente porque não consegui obter um encontro seu com Sigampa! (Suas lágrimas redobravam:) Passei o inverno em meu carro a espreitar em frente à sua mansão e não consegui nada além de uma rápida conversa com sua mãe! Apenas duas palavrinhas ao pé de seu Bentley, antes que ela me fizesse expulsar por seus empregados índios!

— Você deseja, se compreendo bem, que eu peça quatro bilhões de dólares a Nicanor Sigampa, de sua parte, ou melhor, da parte do Estado argentino.

O embaixador, depois de uma laboriosa pirueta, pôs-se de joelhos em minha cama e pôs as mãos sobre o puma.

— Eu lhe dou dez por cento! Vinte por cento! Trinta por cento!

Liguei para o número de Nicanor.

— Eu estava esperando a sua ligação – disse ele.

— Eu também, gostaria de vê-lo esta noite, mas por ora gostaria de falar-lhe sobre algo mais urgente. Está aqui em casa o embaixador da Argentina. Ele quer quatro bilhões de dólares para enxugar a dívida externa argentina.

— O que você acha? – disse Nicanor.

— O dinheiro não é meu!

– Diga a ele que terá a resposta amanhã, nós decidiremos a coisa durante nossa reunião desta noite. Meu carro vai passar em sua casa às sete horas para pegá-lo.

O embaixador, que tinha ouvido tudo, lançou-se aos meus joelhos, beijando minhas mãos.

– Você é meu benfeitor!

– Não me agradeça, ainda não tem o dinheiro.

Eu não ignorava nada do jogo político que essa dívida representava, e me parecia um pouco delicado tratar a questão na frente desse imbecil.

– Como posso lhe agradecer?

– Encurtando sua visita e a de seu puma!

Em minha sala, María Abelarda, no meio da desordem de suas malas desfeitas, folheava um velho número do *Libé*. Eu empurrava o embaixador e seu puma semidesperto para a porta, dizendo de passagem para María Abelarda:

– Você verá o embaixador amanhã de noite, na festa de meu aniversário no consulado do Uruguai!

– Na casa de seus pais? – perguntou o embaixador sob a soleira da porta –, mas eu não fui convidado!

– Pouco importa! Lá você terá a resposta que espera! E vá de smoking!

Fechei a porta com força. O golpe acabou de despertar o puma, que se pôs a rugir na escada.

– Uma festa? – disse María Abelarda. E meu lifting? Não posso passar a noite inteira de óculos escuros!

— Eu quase não dormi esta noite, vou tirar uma sesta. Acorde-me às seis horas, vai ser o tempo de tomar um banho, vão passar aqui para me pegar às sete.

— Estou vendo que você se tornou um VIP, mesmo que tenha me jurado que se tornou um monge trapista!

Fui para o quarto com María Abelarda nos meus calcanhares.

— Por que sua mãe vai lhe preparar uma festa quando o seu aniversário é em agosto?

— Não faço ideia, amanhã veremos.

Tentei fechar a porta do meu quarto, mas ela conseguiu chegar até minha cama.

— Eu também estou com sono, passei a noite num avião!

Os dois nos estendemos sobre a cama, onde pairava um cheiro de animal feroz.

— Você gosta do meu perfume? — perguntou María Abelarda, aspergindo sobre mim o vaporizador, ele é afrodisíaco!

Repeli firmemente seus avanços e me enrolei nas cobertas, antes de dormir.

5

No carro que me levava à casa de Nicanor Sigampa, eu me perguntava se, nesse jogo em que se cruzavam sonhos presidenciais e bilhões de dólares, eu não corria o risco de terminar me machucando. Pessoas são sequestradas e mortas por menos que isso. Mas quem poderia desejar a minha morte? Felizmente ninguém fazia ideia da natureza de minhas conversas com Sigampa; as autoridades argentinas me tomariam simplesmente por um intermediário oficioso.

Tinha cometido um erro ao deixar o embaixador ouvir minha conversa telefônica com Nicanor. Na verdade, outro erro foi aparecer em público ao seu lado, ainda mais numa circunstância como a daquela manhã, no Arco do Triunfo. Eu me perguntava se tudo isso não teria sido orquestrado por Sigampa em pessoa. Eu sabia como o tipo era maquiavélico e percebia muito bem a habilidade que demonstrava ao multiplicar as tentações para me levar, em 24 horas, a aceitar o estranho pacto que me propunha. Eu também pressentia, havia um ano pelo menos, que o próximo presidente democrático na Argentina seria um civil de fora da política e que seu papel seria mais simbólico do que real. Em sua sombra, a intelligentsia argentina realizaria a missão cultural e administrativa já bem projetada. Até aí estava tudo muito certo, era conveniente para todos, e em particular para os cérebros que dirigiam o destino do país e que preferiam permanecer ocultos, fosse qual fosse a sua cor. Mas num ponto o senhor Sigampa e seus amigos se enganavam (eu não duvidava, na verdade, que, apesar de seu aparente isolamento em pleno coração de Paris, Nicanor tinha inúmeros conselheiros). Esqueciam a ascendência exercida pelo presidente da República num país habituado a glorificar os presidentes no exercício de suas funções. Um homem inteligente, até discreto, chegaria a possuir um poder potencial imenso: para prová-lo bastava realizar seus caprichos, que seriam tomados imediatamente por linhas de força de uma doutrina política que qualquer imbecil poderia elaborar em meia hora. Mas não era isso o que mais me interessava nesse negócio (o poder jamais me interessou); o que me impelia naquela noite a seguir representando a comédia era o desejo de saber até onde se pode ir num tal jogo sem se queimar, até que ponto um virgenzinho da política, como eu, seria suscetível de passar por um iluminado da história. E, ao menor perigo, eu abandonaria o jogo, tornando público o relato completo de minhas conversas com Sigampa. Este era o meu plano, que tranquilizava principalmente minha consciência de intelectual. Eu sabia, entretanto, que diante de um adversário como Sigampa, meu plano corria o risco de ser modificado mais de uma vez. Uma chuva fina derretia a neve nas calçadas. Fiz o carro parar na rua Royale para comprar um *Le Monde*; nenhuma notícia sobre a Argentina. Para bom entendedor: tudo vai bem. E novamente cruzei os Champs-Élysées e o Arco do Triunfo, num escândalo de cores e de luzes. Essa visão feérica, que todos conhecem dos cartões-postais, me inquietou como se eu estivesse acordando em um cenário de cinema. No fim das contas, como dizia Borges, todos os meus anos em Paris não terão sido senão imaginários. Havia dois dias que eu não falava com um único de meus amigos franceses, nem por telefone, talvez eu não tivesse nem pensado numa só palavra em francês, mas isso não tinha feito falta, ao menos aparentemente. Minha cabeça já estava na Argentina? Quando estou trabalhando em algum texto, o mais comum é pensar nele o tempo inteiro, não desligo nem debaixo do chuveiro. Esse era o caso até a antevéspera, quando vivi mergulhado na minha ode "A morte da baleia", assunto que parecia ter fugido de minha mente para nunca mais. Aquela noite eu me sentia vivo e leve, a imaginação livre, como no tempo em que, aos 17 anos, ia ver María Abelarda com os bolsos cheios de poemas rabiscados, poemas em que cantava o futuro de felicidade que nos esperava. Uma felicidade hoje extinta. Talvez seja isso ser jovem, essa disponibilidade confiante. Mas a presidência da República, vamos e venhamos! Para me tranquilizar, disse a mim mesmo que o mais provável seria que essa história terminasse aquela noite, durante minha conversa com Nicanor. E amanhã eu tornaria a mergulhar com minha baleia nas águas profundas e claras da poesia, conservando os quinhentos mil francos e o enredo de um folhetim de ficção política. Em dois dias isso era muita coisa para um poeta como eu!

⌒

As grades do jardim estavam abertas, as luzes brilhavam em todos os andares da mansão. Ao entrar, ouvi uma música de violão, uma "vidalita campestre" que não escutava desde criança. Estava sendo executada por uma mão hesitante, o que acrescentava à triste monotonia da melodia qualquer coisa de macabro. No fundo do salão, Rosalyn Sigampa segurava um violão quase tão grande quanto ela. Com uma voz rouca de velha negra, ela cantava: "Yo tenía una chancha, vidalita, y cuatro chanchitos, vidalita..." Ariel Sigampa, ou o que restava dele, mantinha-se ereto numa outra cadeira, à sua frente. Segui o mordomo, que passou entre os dois sem lhes prestar atenção; por minha vez, inclinei-me levemente diante de um e de outro. Nicanor me aguardava em seu escritório, em mangas de camisa, ar alegre, um charuto entre os dentes. Abriu uma garrafa de champanhe francês e bebemos em honra da Internacional Argentina.

– Soube que é seu aniversário, fui convidado à recepção que seus pais darão em sua homenagem amanhã, no consulado do Uruguai.

– Na realidade não é meu aniversário, mas minha mãe decidiu que sim.

– As mães argentinas são as mais tirânicas do mundo! Eu mesmo jamais ousei contrariar a minha, e você com certeza notou que ela nem sempre é de fácil convívio. Quem me vê assim não diz, mas tomo mamadeira todas as noites antes de dormir. Minha mãe vem pessoalmente me dar de mamar na cama. E, acredite, eu detesto leite, ainda mais morno!

No salão contíguo, Rosalyn Sigampa continuava a executar sua vidalita interminável.

– Ela leva uma vida retirada; nunca a ouvi dirigir a palavra a alguém, salvo para cantar ou dar ordens. Só quando eu já tinha 15 anos fui compreender que ela é surda. Parece incrível, mas meu pai se casou com ela antes de se dar conta disso. É verdade que, na Argentina, as pessoas do interior falam pouco, passam a existência mergulhadas em profundos silêncios.

– No que diz respeito a conversas, minha mãe é uma máquina de tagarelar. Mas ela também é tirânica. Pertence à geração de Eva Perón.

Cortei-lhe a palavra só para evitar que continuasse falando de dona Rosalyn, personagem dramático, que me inquietava num grau máximo. Não conseguia acreditar que ela podia tocar violão para seu marido sem perceber que estava morto; ela pareceu não me reconhecer e, todavia, naquela mesma manhã, na hora em que passavam os lixeiros, havia estado em minha casa para me oferecer dinheiro. É verdade que, na sua idade, é comum a pessoa sair dos trilhos, mas eu sentia que, por trás de seu comportamento incoerente a meu respeito, havia uma agressividade talvez provocada pelo ciúme. Nós nos instalamos nas duas cadeiras Knoll de ouro que já me pareciam familiares. A chuva batia suavemente na vidraça; acendi um havana.

– Decidi aceitar a sua proposta – fui dizendo de cara.

– Eu tinha certeza! Ao futuro presidente da República Argentina, Darío Copi!

Ergueu-se. Pensei que deveria fazer o mesmo. Nossas taças se entrechocaram. Ainda que não me escapasse o ridículo da situação, pensei que aquilo era apenas o começo de uma série de situações ridículas, às quais era melhor ir me habituando. Bateram à porta, uma batida fraca; Nicanor foi abrir. Então entrou uma criança negra de mais ou menos 5 anos, vestida de pijama, com um urso de pelúcia maior do que ela. "Papai, naninha", disse ela. Nicanor tomou-a nos braços.

– Teresita, a minha caçula.

– Eu não sabia que era casado.

– Sou viúvo. Tenho três filhas, de 4, 5 e 6 anos.

Uma babá paraguaia veio buscar Teresita; nós a beijamos antes de deixá-la partir. Pensei que ia me falar sobre sua vida privada, mas não fez nada disso. Tornamos a nos sentar nas cadeiras Knoll de ouro, que me pareceram subitamente dois tronos derrisórios, como os dos ditadores extraterrestres das histórias em quadrinhos.

– Nos próximos dias você será apresentado a nossos principais amigos e colaboradores, que formarão o essencial de sua equipe pré-ministerial. Você pode acrescentar a ela quem melhor lhe parecer, naturalmente. Mas, antes de encontrá-los, eu proponho uma semana de conversas informais, a fim de elaborar um manifesto que será nossa declaração de guerra, por assim dizer. Esse manifesto será impresso em pergaminho e distribuído a cada família com uma cédula de cem dólares. Na mesma ocasião, requisitaremos a formação de comitês em cada bairro para dar a conhecer sua doutrina.

– Minha doutrina? Qual doutrina?

Ele sorriu com todos os dentes e foi buscar um livro na biblioteca. Meu susto foi tão grande que caí em minha cadeira Knoll: era meu primeiro livro, *O sol vermelho dos pampas*, publicado na Argentina quando eu tinha 17 anos.

– Não é possível! Não, não faça isso comigo! É o único livro abominável que publiquei! Eu era tão jovem!

– Sua modéstia é a de um gênio, meu caro Copi. Quer você queira, quer não, esse livrinho traz, em germe, todas as bases de uma revolução cultural e econômica.

– Mas na época eu plagiava todo mundo! Eu escrevia qualquer coisa para escandalizar a sociedade argentina! Eu era maoista e surrealista, existencialista e anarquista. Eu procurava apenas me fazer notar!

– Pintando um afresco das belezas naturais de nosso país – em particular quando canta a odisseia dos arpoadores de baleia, homens que foram obrigados a abandonar o mar de seus ancestrais para trabalhar em fábricas inglesas de carne de baleia em conserva – acredite em mim, você antecipou em pelo menos vinte anos o movimento ecológico, e isso só na primeira página! Veja bem, escute isso: "Das entranhas da terra surgirá um líquido negro cuja cor glacial é também a do ouro. Petróleo! Petróleo! O indígena, estupefato, se banha nas ondas; ele não sabe ainda que o futuro lhe pertence." Esse poema antecipa a extração de nosso petróleo na Patagônia, cuja exploração, se chegarmos ao poder, será reservada apenas aos índios.

– Mas você não compreende mesmo que são bobagens de um jovem pretensioso que queria mudar o mundo com um livro de poemas?

– Muitos dos grandes livros foram escritos por jovens pretensiosos, meu amigo, e o fato de ser tão pretensioso hoje não rouba nada à sua pretensão de ontem.

– Mas eu pensava como intelectual, e não como político.

– É a mesma coisa. Com a pequena diferença de que o homem político consegue, às vezes, realizar os seus sonhos. É o mais difícil de assumir, mas é a aventura mais extraordinária que pode acontecer a um homem.

Ele tinha apoiado sua mão enorme sobre meu joelho; eu sentia o tecido de minha calça úmido de sua transpiração. Ele me olhava diretamente nos olhos. Seu modo de desdobrar as palavras fascinava e tranquilizava, como quando se escuta a reza de um mulá ou um blues de Nova Orleans.

— Eu nem lembro mais o que há nesse livro!

— Ordens informais, que o jovem visionário que você era nos dava para o futuro.

— Tudo isso parece muito ridículo! Fui de um extremo ao outro da sala para olhar de perto a biblioteca. Encontrava-se ali tudo o que eu havia publicado, ainda que na mais obscura revista literária da América Latina.

— Conheço sua obra de cor e morro de vontade de ler seu novo manuscrito. Espero que suas funções presidenciais deixem algum tempo para escrever. Nós contamos com sua imaginação, que será o motor de nossa ação política.

— *Nossa* ação política? Já entendi que você não está sozinho, mas quem são os outros? Minha equipe pré-ministerial e os que ficam na sombra, e que não conhecerei nunca provavelmente?

— Não me interrogue assim, eu não escondo nem esconderei nada de você. Essa equipe é formada por homens de boa vontade, quer vivam no exterior, quer não, todos desejosos de conduzir nosso país a um destino luminoso, mas impedidos, por uma razão ou por outra, de fazer carreira política. Eles pertencem a diferentes horizontes, das altas finanças ao clero, passando pelo automobilismo, mas não contamos em nossas fileiras com nenhum artista, você é o único. Imaginamos que desse modo você se sentiria mais à vontade. E por que multiplicar os artistas quando temos um gênio nas mãos?

— Eu não sou um gênio, senhor Sigampa, você sabe tão bem quanto eu! (Atirei no chão vários de meus livros.) Você teria podido muito bem cooptar em meu lugar qualquer outro intelectual, todos têm imaginação bastante para salvar o mundo!

Ele aguardou um momento antes de recolocar os livros nos seus devidos lugares na estante.

— Sua imaginação já salvou minha vida uma vez — disse ele com voz grave. Como você bem sabe, logo após o acidente com o cavalo eu estive muitos anos paralisado, tinha perdido o gosto pela vida. Até o dia em que um primo me deu de presente uma de suas coletâneas.

Ele abriu um volume e acariciou as páginas.

— Se você me vê hoje aqui, de pé, é graças a esse livrinho. — (Ele leu, com voz trêmula:) — "Ó, obscuridade, ergue teu véu, ó, jacente, ergue-te à luz da alvorada para ir colher os frutos da imaginação!"

— Quer dizer que daí lhe veio a ideia de que a imaginação faz proezas?

— Exatamente — cortou ele com voz seca, recolocando o volume em seu lugar.

Compreendi que ele se sentia incomodado por ter dado livre curso às suas emoções na minha frente. Ele próprio desviou a conversa.

— Pensei que viria com María Abelarda.

– Deixei-a em casa, vou buscá-la daqui a pouco para o jantar.

– Contou a ela sobre nosso projeto?

– Não, não quero que ela me tome por um louco! Ouça, Nicanor, fico muito tocado com toda a admiração que você dedica à minha obra, mas... mas... não creio que possa aceitar sua proposta!

– Você será presa de dúvidas mais de uma vez, Copi. É próprio do criador. Mas já falamos bastante disso por esta noite. Eu o libero para ir jantar com María Abelarda. Marquemos um encontro aqui, amanhã, para almoçarmos, eu gostaria de lhe apresentar alguns de meus amigos; mas não se esqueça de trazer sua mulher. Mandarei um carro buscá-los ao meio-dia. Na minha opinião, você deveria falar com María Abelarda, ela pode ter boas ideias.

– Ideias? Não se trata de abrir uma loja de roupas!

– Estou vendo que você já tem princípios para a orientação de nosso movimento! – disse ele com um grande sorriso.

Rosalyn e Ariel Sigampa não estavam mais no lugar que ocupavam pouco antes. Um empregado que me aguardava na entrada estendeu-me um envelope. Era um cheque de um milhão de francos, assinado por Rosalyn Faulkner de Sigampa. Eu o devolvi e parti dentro da noite glacial.

6

Depois de jantar num restaurante chinês, María Abelarda quis que eu a levasse a uma boate na rua Monsieur-le-Prince, uma boate muito escura, para que suas cicatrizes do lifting passassem despercebidas. Sentamo-nos num canto, atrás de uma planta.

— Eu não conhecia essa boate – eu disse.

— Mas ela é conhecida no mundo inteiro!

Notei que era um estabelecimento argentino, pois se chamava Tango Bravo. Escondido num canto, um velho músico fazia vibrar seu eterno bandoneon. Havia vinte anos que não dançávamos tango e tínhamos esquecido quase todos os passos. Outro casal dançava ao mesmo tempo; naquela escuridão reconheci Miguelito Pérez Perkins e Raoula, a filha de Borges. Decididamente, os argentinos se encontram sempre nos mesmos lugares. Nós estávamos sentados em mesas vizinhas, embora separadas por uma planta; a música encobria nossa conversa. Bebemos champanhe argentino, dessa vez com bolhas. Senti uma necessidade imperiosa de contar-lhe tudo. Ela me ouviu atentamente, depois acariciou a minha mão, e finalmente suspirou.

— Presidente da Argentina? Estou orgulhosa de você!

— Para falar a verdade, não fiz grande coisa, fui mais o objeto de uma série de acasos.

— Não foi por acaso que você escreveu aqueles lindos poemas aos 17 anos. Não esqueça que a imprensa argentina saudou sua estreia como a de um novo Rimbaud. Eu sempre lhe disse que você era um gênio!

— Você me dizia isso quando eu tinha 17 anos. Agora nós temos o dobro disso e eu não sou ninguém.

— E você vai recuar agora, depois de passar toda a vida trabalhando para se tornar conhecido? Aprume-se, um presidente da República se mantém sempre ereto! Agarre-se a essa chance e segure firme até o fim!

— Que fim? Essa história não tem fim.

— Claro que sim, ela é, antes de tudo, uma história policial! É a oportunidade de sua vida! Você pode se tornar biliardário, depois você abandona tudo!

— Não, não posso fazer isso. Se aceitar, vai ser para dedicar minha vida a essa missão. Não pelo dinheiro, isso tornaria tudo irrisório. Será essa a minha força frente a eles!

— E você quer que eu me transforme numa espécie de senhora Gandhi argentina? Por quem você me toma?

— Não estou pedindo que permaneça comigo por toda a vida, peço que represente essa comédia até que eu chegue ao posto de presidente; depois, pode fazer o que bem entender.

— Tudo isso custa caro! Conversarei com Nicanor! – disse ela.

Desde nossa infância, minhas conversas com María Abelarda sempre degringolaram em conversas sobre dinheiro. Essa sua cupidez sempre me repeliu; quando ela começava a falar em dinheiro, minhas narinas tremiam e sua boca se torcia como a de um macaco.

— E, se você quer ter uma ideia do meu preço, saiba que ele ronda a casa do milhão de dólares!

Eu a esbofeteei; sua taça se espatifou na pista. Ela ficou pasma. Foi a primeira vez que a esbofeteei em público. Miguelito Pérez Perkins, que tinha visto a cena de longe, aproximou-se para falar com María Abelarda: "Quer dançar?" Os dois se afastaram tangueando sobre a pista. A filha de Borges me fuzilava com os olhos por detrás da planta verde; mostrei-lhe a língua.

— Você é a vergonha dos argentinos de Paris! — gritou ela, detrás da planta.

Não conseguia acreditar que uma mulher tão idiota pudesse ser a filha de Borges. Passava um pouco da meia-noite e a boate começava a ficar cheia. O velho do bandoneon foi substituído por um velho violonista e uma cantora ainda mais velha; era a célebre dupla Os Imortais: a viúva de um compositor de renome e seu filho, Hortensia e Jacinto Gusapo, que eu imaginava morto havia muito tempo. O tango, que estava de novo na moda no mundo inteiro graças à nova democracia, mas também já quase esquecido na Argentina, convocava seus antigos combatentes para atuarem como embaixadores no exterior. María Abelarda voltou para a nossa mesa, e Miguelito para a dele.

– Miguelito Pérez Perkins já sabe que você é o próximo candidato à presidência!

– Isso é impossível! Como ele poderia saber?

– Seu pai está contando para quem quiser ouvir. Já está até negociando os postos-chave de seu governo!

– Mas como ele pode saber disso?

– Ele deve ter visto você com Sigampa e deduzido o resto.

– Isso é um absurdo!

– Não tem nada de absurdo, se você pensar bem. Com sua pose de artista incompreendido, você parece um perfeito tonto; todos colocariam a mão no fogo por você. Até eu votaria em você se não o conhecesse. Nicanor teve um ótimo faro, você é o presidente ideal!

Hortensia Gusapo tomou a palavra no microfone.

– Hoje é meu aniversário – declarou ela.

Alguns aplausos forçados.

– Quero dedicar esta noite à Internacional Argentina!

Uma verdadeira ovação. Miguelito Pérez Perkins se aproximou de nossa mesa.

– Estou tão desconfortável – disse ele –, você sabe, por tê-lo indisposto contra mim.

– Ah, isso não é nada – disse eu, condescendente – entre ex-alunos do Colégio...

Ele apertou minha mão, contente como uma criança.

– Será que eu poderia convidar minha noiva, Raoula, para a mesa de vocês?

– Ficaríamos encantados – fui obrigado a dizer.

Miguelito foi procurar Raoula. Ela só tocou minha mão com a ponta dos dedos e pediu um coquetel com champanhe e lima.

— Raoula e eu – disse Miguelito – vamos passar nossa lua de mel na Grécia. Vocês conhecem a Grécia?

— Eu adoro! – disse María Abelarda.

Começaram então a falar sobre as ilhas gregas. Eu concentrei toda a minha atenção em Hortensia Gusapo. Ela cantava "Volver", esse velho tango que narra a história de um exilado que volta ao país depois de vinte anos e não encontra mais nada de suas lembranças de juventude. Onde terão ido parar as minhas lembranças de juventude? Elas existiam, certamente, mas espalhadas pelo mundo, tal como as peças de um quebra-cabeça caídas no chão. Meus pais viviam em Paris, María Abelarda em Nova York, minhas irmãs no México, dos meus amigos de juventude, alguns estavam na Califórnia, outros na Itália, havia até dois no Japão... e eles não paravam de se movimentar. Os que tinham permanecido em Buenos Aires, ao contrário, me eram muito menos familiares. Eu os via de tempos em tempos, por ocasião de suas rápidas passagens por Paris, casados com mulheres dominadoras, gordos, carecas, eternos cãezinhos de suas patroas nas escadas rolantes dos aeroportos e dos shoppings, falando com uma voz flauteada da alta do dólar, ignorando tudo sobre o regime militar e as atrocidades que ensanguentaram o país. E nós, no exterior, formávamos o grosso das tropas que Nicanor Sigampa designava como a Internacional Argentina, os que fugimos não da ditadura militar, mas de tudo o que a tornava possível na sociedade argentina: a hipocrisia católica, a corrupção administrativa, o machismo, a homofobia, a censura por toda a parte e de toda ordem... Mas suponho que essas categorias pertençam agora ao passado; não há mais de um lado os ratos que abandonaram o navio e de outro as ovelhas que sofreram a cólera do capitão: somos todos pela primeira vez um pouco iguais. "Voltar de cabeça baixa, as neves do tempo pratearam meus cabelos", cantava Hortensia Gusapo. Retornaríamos todos com a cabeça baixa, mesmo os que literalmente ocultaram nossa juventude. Éramos crianças velhas buscando reinventar a Argentina. Dando decididamente as costas para a juventude. Disse a mim mesmo que, em meu gabinete ministerial, deveria incluir a todo custo alguns jovens. Nomearei para o cargo de ministro da Cultura um garoto de 15 anos, melhor ainda, uma bela garota. Mas não serei nunca presidente de nada, e ainda menos da Argentina. Só sirvo para sonhar e colocar alguma paixão em meus escritos, mas não tenho nenhuma ideia prática. De resto, isso me assusta. E no melhor dos casos, se tudo correr bem, mas realmente bem, eu me entediaria como um bom papa.

— Em que está pensando? — interrompeu-me Raoula Borges.

— No destino. Você acredita nele? Se você é filha de Borges, deveria crer.

Ela me olhou de soslaio, desconfiada.

– Você é um misógino, compreendi isso à primeira vista. Sua mãe me confirmou. Vi você dar uma bofetada em María Abelarda!

– Nós estamos divorciados, mas ela gosta disso.

– Ouvi dizer que você será candidato nas próximas eleições. Se for o caso, fundarei um partido feminista para me opor à sua candidatura! E pode acreditar no que digo, tem muita gente me apoiando! Não é de um intelectual como você que o país precisa, mas de uma mulher honesta e eficaz, se possível filha de intelectual!

– Estou vendo que você calculou bem sua jogada. Eu lhe desejo muita sorte e ficaria muito contente de ver você presidindo o país em meu lugar. Mas temo que não sejamos os únicos candidatos.

María Abelarda e Miguelito falavam da possibilidade de alugar um carro na Grécia.

– É belíssimo – dizia María Abelarda –, mas as praias são minúsculas, nada a ver com nossas praias da América do Sul.

Alguns casais dançavam tango. "Sentir que a vida é um sopro, que vinte anos não são nada..." Eu também era um personagem de tango e talvez um dos mais típicos, aquele que, mesmo permanecendo "ancorado em Paris", vive com o coração em Buenos Aires. Abandonei a mesa e fui convidar para dançar uma jovem loura que parecia indecisa ao lado do bar. Ela aceitou, como no tango. Ela dançava muito bem embora tivesse, ó surpresa, as pernas excepcionalmente curtas. Deixei-me conduzir com graça.

— Você está sozinha?

— Tenho um encontro com meu diretor argentino, ele está atrasado.

— Você é atriz?

— Não dá para ver?

Essas mulheres argentinas, sempre na defensiva.

— E onde se veria?

O tango chegava ao fim; tentei retê-la, mas seu diretor acabava de chegar. Voltei para a mesa, onde o assunto ainda era a Grécia.

Fiquei me perguntando o que estava fazendo ali. Desde a minha primeira conversa com Nicanor, sentia-me estranho em qualquer situação em que me encontrasse; os outros percebiam esse incômodo facilmente, pois me tratavam com uma hostilidade mal disfarçada. O que eu estava fazendo nessa mesa, na companhia desse casal de imbecis? E María Abelarda, a única mulher que amei e que já não conseguia mais suportar, de tanto que sua metamorfose em matrona me incomodava? Certamente via nela os meus próprios 40 anos bem completos e meu próprio mal-estar na existência. Não conseguia mais suportar ninguém e ninguém mais conseguia me suportar. Passei a imaginar a presidência da República como única escapatória para a minha solidão. Eu saberia, ao menos, que não teria mais necessidade de ninguém, que ninguém me amaria ou estimaria por mim mesmo, e que me tornaria um estrangeiro para mim e para os outros. Para falar a verdade, me tentava mais o lado dramático do poder do que o lado jubiloso; eu daria, sem dúvida alguma, um presidente triste.

Um garçom fantasiado de *gaucho* me trouxe um bilhete com bordas douradas: "Preciso vê-lo com máxima urgência. Nicanor." Abandonei a mesa sem avisar e deixei no vestiário um recado para María Abelarda, pedindo-lhe que voltasse sem mim. A limusine de Nicanor me aguardava. Já do lado de fora, tive a impressão de desembarcar pela primeira vez na Terra; a ordem e a calma que ali reinavam eram tais que logrei ficar mais tranquilo. Era a última vez que colocava os pés numa boate, aquilo me enlouquecia.

Rodamos em silêncio ao longo do Sena e eu me extasiei como sempre contemplando a ponte Alexandre III sob o céu estrelado. Sentirei saudades terríveis de Paris, não sei se suportarei viver longe daqui. O mais sábio seria trocar meu posto de presidente pelo de embaixador em Paris, mas duvidava que Nicanor fosse aceitar isso. Ele estava começando a me dar nos nervos, era preciso parar com aquela mania de me convocar a qualquer hora do dia. Aliás, como ele sabia que eu estava na Tango Bravo? Tinha mandado me seguirem! Virei para trás e vi outra limusine conduzida por outro paraguaio. Eu estava sendo seguido permanentemente, e sabe Deus desde quando isso estava acontecendo. Ele podia ter deixado o carro à minha disposição, isso me pouparia os táxis; não deixarei de confabular com ele sobre isso. Talvez devesse ter dito a María Abelarda onde estava indo, ainda que não tivesse certamente nada a temer. E, no entanto, essa convocação às duas horas da manhã não era nada normal.

Na mansão, só brilhavam as luzes do escritório de Nicanor. Ele estava deitado sobre um divã, ainda em mangas de camisa. A perna de sua calça, rasgada à altura da coxa, deixava ver uma bandagem manchada de sangue sobre a panturrilha. Dois empregados paraguaios se mantinham a seu lado.

— Atiraram em mim — disse ele muito calmamente.

Deixei-me cair sobre um banquinho. Um empregado me estendeu um copo de uísque que engoli de uma só vez.

— Muitas pessoas querem a minha pele. Não tomo muitas precauções. Tenha muito cuidado, esta noite você só sai daqui com dois guarda-costas.

Ordenou que nos deixassem sozinhos.

— Você chamou um médico?

— Foi minha mãe quem extraiu a bala, com a ajuda de uma pinça. (Ele então sorri debilmente.) Ela já está habituada, você sabe, essas coisas acontecem o tempo todo no interior da Argentina.

— Onde aconteceu?

— No jardim. Saio todas as noites, lá pela meia-noite, para levar meus cães para passear. O tiro foi disparado da calçada; tive a sorte de poder me esconder atrás de uma estátua de Diana Caçadora que voou em pedaços. Fugiram de carro sem que se pudesse ver o número da placa. Alertada pelos vizinhos, a polícia chegou logo; foram recebidos por minha mãe que lhes explicou que nós é que havíamos lançado alguns fogos. A coisa ficou nisso. Mas não foi para lhe contar sobre os meus problemas que o chamei aqui. Você é capaz de guardar um número de dez algarismos?

– Talvez, mas preferiria não tentar. Não estou gostando de toda essa história, Nicanor. Acho que você devia chamar a polícia e deixá-la fazer o seu trabalho!

– Não é o caso! Você é capaz, sim ou não, de memorizar um número de dez algarismos?

– Corresponde à senha de algum cofre, suponho?

– Sim, o cofre que você bem pode ver ao lado da biblioteca. Se me acontecer alguma coisa, minha mãe guardará o cofre, mas ela não conhece o número.

– E o que contém o cofre?

– Você encontrará ali uma folha com instruções.

– Francamente, Nicanor, preferiria que você confiasse essa missão a qualquer outra pessoa!

– Não, não confio em ninguém. Eis o número.

– Não me diga, não quero ouvi-lo!

– É bem fácil.

– Não adianta, eu vou esquecê-lo.

– Não vai conseguir. É 0, 1, 2, 3, 4, 5, 6, 7, 8, 9.

– Você não devia ter me dito! Apesar do estado em que você se encontra, estou muito aborrecido com você! Chegou o momento de lhe dizer: eu recuso a candidatura à presidência!

— Falaremos disso amanhã, agora preciso repousar. E não esqueça que temos um encontro para o almoço!

Deixei o seu escritório batendo a porta. Atravessei a sala apressado quando me detiveram pelo punho. Era dona Rosalyn, com seu eterno vestido negro até os calcanhares.

— Tome! — disse ela, estendendo-me, com a mão trêmula, uma bala de fuzil.

Quis prosseguir meu caminho, mas ela me chamou.

— Não vá!

Ficou um momento imóvel, fixando meus olhos.

— Eu te odeio! — exclamou.

Retirou da manga um pequeno frasco e derramou seu conteúdo no chão; depois pisou repetidas vezes com sua bota a pequena poça formada. Segui em frente. Enquanto vestia meu sobretudo, ouvi-a murmurar uma espécie de lamento cujas palavras não compreendi, mas era sem dúvida uma bruxaria contra mim.

Voltei para casa, escoltado pelos dois guarda-costas, um sentado à minha frente e outro a meu lado. Não se viam suas armas, provavelmente escondidas sob os braços. Quis acender um cigarro, mas minha mão tremia demais; um deles se encarregou disso por mim.

Em minha casa, ouvia-se o barulho das conversas já desde o vão da escada. Quando apareci, fez-se o silêncio. No salão encontrei María Abelarda, Raoula Borges, Miguelito Pérez Perkins e Juan José Pérez Sanchulo, o embaixador argentino.

— Quem são esses cavalheiros? — perguntou María Abelarda.

— Meus guarda-costas.

— Vão imediatamente para a cozinha! — ordenou ela.

Os guarda-costas se eclipsaram, e imediatamente o embaixador se lançou a meus pés para me abraçar as pernas, quase a ponto de me derrubar.

— Obrigado, mil vezes obrigado, quatro bilhões de vezes, obrigado!

— Essa noite ele recebeu um cheque de quatro bilhões de dólares, de Sigampa, precisou Miguelito.

Ajudamos o embaixador, que chorava e ria, a se erguer.

— Estou salvo! O presidente Alfonsín em pessoa me ligou! Como agradecimento, o governo argentino me libera de meu posto de embaixador! E é a você que devo tudo isso!

— De forma alguma. Sequer falei com Sigampa, ele tomou a decisão sem minha intervenção.

— Há quarenta anos espero a ocasião de fazer uma saída honrosa do corpo diplomático! Agora vou largar tudo, vou me divorciar e viver no norte do Rio de Janeiro, numa ilha deserta, que comprei escondido de minha mulher! Passarei ali o resto de meus dias com meu querido puma! E tudo graças a você, meu caro Copi!

Dois tiros soaram na cozinha; tivemos um sobressalto, antes de ficarmos completamente paralisados. Os dois guarda-costas entraram na sala. Quando começaram a falar, perderam imediatamente o ar imponente de gângsteres de Chicago e voltaram a ser apenas dois peões se dirigindo a seu capataz.

— Não foi nada, patrãozinho — disse o menor deles, a arma ainda na mão.

— Como assim, nada? Então por que você atirou?

— Um puma entrou em sua cozinha, mas nós o abatemos!

E começaram a rir como idiotas.

O embaixador precipitou-se para a cozinha e nós fomos atrás. No meio de uma poça de sangue, o puma exalava seus últimos rugidos. Teve um espasmo, pôs-se a mover as patas, depois arqueou e, por fim, ficou inerte. O embaixador atirou-se sobre o corpo.

— Petardo, meu amor! Não me deixe hoje! Nós finalmente estamos livres!

O espetáculo desse velho soluçando, agarrado a seu puma, com o bigode e a camisa inundados de sangue, me transtornou. A filha de Borges atacou os guarda-costas a socos, pontapés e unhadas. Os dois nada fizeram para se defender; quanto mais ela lhes batia, mais eles se curvavam, as mãos atrás da nuca.

— Assassinos! — vociferava ela. — Vou publicar nos jornais argentinos que os guarda-costas de Sigampa passeiam por Paris em busca de animais para abater! Vocês pensam que estão em seu país, onde a vida de um puma não vale nada?

– Perdão, patroazinha – gemiam os guarda-costas.

Miguelito tentava erguer o embaixador. Segurei María Abelarda pelo braço, fomos buscar nossos casacos e deixamos o apartamento.

– Vamos dormir num hotel, eu não aguento mais!

A limusine de Sigampa e seu chofer estavam à minha porta.

– Para o Hotel George V – ordenou María Abelarda.

– Você enlouqueceu, é caro demais – protestei.

– Nada é caro demais para você! Você tem que ir se habituando a gastar o máximo de dinheiro em todas as ocasiões e a propósito de qualquer coisa! E, depois, você não tem nada que ficar discutindo isso, eu controlo as finanças! Se eu tivesse me encarregado de cuidar do seu dinheiro, você não estaria nessa miséria em que se encontra!

Esse pensamento era um pouco exagerado, mas preferi permanecer calado. No George V, onde María Abelarda tinha conhecidos por já ter se hospedado ali com seus diferentes maridos, alugamos uma suíte de três cômodos.

– Nosso quarto, seu escritório e meu dressing-room – decidiu María Abelarda.

No hotel, compreendi de imediato que María Abelarda estava no seu habitat natural. Seu vestido de cetim rosa ornado de vison e sua parafernália de colares de plástico e esmeraldas verdadeiras se revelavam, no hall desse grande hotel, uma obra-prima de elegância, enquanto nos antros de artistas pequeno-burgueses onde eu tinha o costume de levá-la parecia uma árvore de Natal. Mergulhei numa imensa banheira, cheia de espuma lilás, enquanto María Abelarda mandava subir o jantar.

— Eles servem a qualquer hora neste hotel?

— Você é mesmo um proleta!

Sentou-se à borda da banheira e me massageou as costas.

— Atiraram em Sigampa — disse eu, e contei-lhe toda a história.

Saí do banho e enfiei-me no enorme roupão felpudo lilás do hotel, enquanto o camareiro chegava com nossa comida: *consommé* e duas costeletas de boi à la moelle.

— Eu estava morrendo de fome desde aquele nosso jantar no restaurante chinês! — suspirou María Abelarda, antes de se precipitar sobre a carne, como todos os argentinos.

Só então começou a se interessar por minha narrativa.

— Então a velha dona Rosalyn lhe deu a bala que extraiu da perna de Nicanor. Você a guardou?

Procurei-a em meu bolso.

— Essa bala não foi disparada.

— Você acredita que possa ter sido uma armação? Que o sangue na bandagem de Nicanor era tinta vermelha?

— Evidentemente!

— Mas por quê?

— Não sei, é difícil saber. Mas penso que... não, seria idiota demais.

— O que está pensando?

— Veja bem, ele está fazendo tudo o que pode para impressionar você. Ele está jogando, jogando para seduzir você, como fazem as crianças. Você o fascina.

— Eu é que estou fascinado por ele.

— Você se engana. Ele está pronto a satisfazer todos os seus desejos, mesmo os que você nem imagina desejar.

— Você deve conhecê-lo melhor do que eu!

— Eu conheço os homens melhor do que você. Ele está se entregando a uma dança de sedução cujo objetivo é você. Os homens apaixonados agem assim, eles trazem isso do chimpanzé. Ele lhe cobre de presentes, e seu presente de casamento será a presidência da República!

— Você enlouqueceu! Acha que ele é homossexual?

— Vocês, homens... — declarou ela com desprezo. — Vocês não precisam ser homossexuais para se apaixonarem uns pelos outros, na verdade é só disso que vocês gostam! Confesse que você está encantado por ter virado a cabeça de um belo negro como ele!

— Você é indecente!

Eram seis da manhã; fomos nos deitar na grande cama lilás. Nós nos abraçamos como duas crianças e adormecemos.

7

Quando acordei, María Abelarda já tinha mandado trazer todas as minhas coisas de casa, inclusive os meus manuscritos. Ela estava vestindo um sóbrio tailleur azul-marinho, e seus cabelos estavam presos em um coque no alto da cabeça, um pouco como Eva Perón. O único detalhe excêntrico eram os óculos escuros cravejados de diamantes, que ocultavam os traços do lifting, agora, contudo, quase imperceptíveis. Ela me pôs sob os olhos um topázio que parecia uma dessas garrafinhas de uísque servidas nos aviões.

– Veja este lindo anel que você comprou para mim esta manhã, meu querido!

– Você ficou louca, quanto custou isso?

– Pus na sua conta na recepção. Nicanor vai acertar as contas depois. A propósito, eu liguei para ele esta manhã para saber de seu estado de saúde; ele vai melhor do que nunca, estava passeando no jardim em companhia de sua mãe, suas filhas e seus cães e mandou um beijo.

Levantei-me para tomar o café da manhã num serviço de chá de prata digno de um presidente da República.

– Você sabia que ele tem três filhas?

— Claro, eu conhecia sua mulher.

María Abelarda conhecia todo mundo.

— Ela pertencia à aristocracia negra da Filadélfia, à família de dona Rosalyn. Era uma jovem muito bem-educada e muito idiota. Desapareceu da noite para o dia; disseram-me que morreu num acidente de caça em sua estância.

— Nessa família parece que já é um costume levar tiros.

— É verdade. Até o velho senhor Ariel, cujo corpo eles guardam embalsamado, foi morto por uma arma de fogo. Suicidou-se sem motivo.

— Dá para compreender, casado com dona Rosalyn!

O telefone tocou.

— É o seu pai.

— Papai! Como soube que eu estava no George V?

— Eu conheço todos os recepcionistas dos grandes hotéis — disse meu pai rindo. Eu subloco os quartos do consulado para os estrangeiros que querem escapar por algumas horas de suas legítimas esposas!

— Papai, quando me contaram que você alugava andares do seu consulado para um sex center de diplomatas eu não quis acreditar! Você sabe que isso dá cadeia?

— Bobagem! Em minha vida, já fiz coisa bem pior e nunca estive na prisão, salvo por motivos políticos! Eu sei muito bem me safar; não sou um imbecil como você, que se deixa enrolar pelo primeiro negro fantasiado de príncipe de Gales que lhe promete a presidência da República!

— Não vai me convencer com suas palavras racistas, papai!

— Será que você sabe ao menos quem o financia?

— Ele é um dos homens mais ricos do mundo, não precisa de ninguém que o financie!

— Mentira! O pai se matou na miséria, arruinado pelos militares. Há três anos, Nicanor Sigampa vagava pelos consulados pedindo emprego de serviçal, foi assim que o conheci!

— Você fala mesmo muita besteira, papai.

— Pode perguntar à sua mãe, você sabe que ela não mente jamais!

— Então de onde vem sua fortuna?

— Dos russos!

— Não é possível! Se você me dissesse "dos americanos" eu até poderia acreditar, mas dos russos?!

— E você acha que os americanos são loucos o bastante para financiar um poder negro na América Latina? Estou dizendo que são os russos! Ele encontra uma vez por semana o embaixador soviético numa aleia do Bois de Boulogne, aonde vão sempre a cavalo. Ficam ali conversando, às vezes, durante duas horas seguidas; trocam sempre papéis e até maletas. E creia-me, eu sou o único a saber. Mesmo o Quai d'Orsay e o FBI não farejaram nada ainda!

— E quem deu a dica?

— Um travesti que trabalha numa aleia transversal do Bois de Boulogne; é filho de nossos porteiros brasileiros.

— E você pensa que vou acreditar num travesti do Bois de Boulogne?

— Você poderia confiar em mim uma vez na vida, seu cabeça de mula! Você caiu no negócio do século porque é um cretino, e ainda corre o risco de provocar uma guerra mundial porque é um cretino! Agora, escute bem o que vou dizer: não ceda na questão dos armamentos! A primeira coisa que eles vão querer fazer é instalar na Argentina armas atômicas que estão proibidos de instalar na Europa, e isso os americanos não tolerarão jamais! Lembre-se de Cuba!

— Papai, nós não vivemos mais nesses tempos!

Levantei os olhos e vi minha mãe, que havia entrado em nossa suíte sem se anunciar.

— É seu pai? — (Pegou o fone de minha mão.) — Alô, querido, já lhe falei para não passar o dia inteiro pendurado no telefone quando você tem uma recepção nesta noite para organizar! Já conseguiu a prataria da embaixada da Colômbia? A mesma que alugaram para a embaixada do Chile? E, por favor, cuide para que não assem as carnes sob as janelas do meu quarto como da última vez! Não quero chegar aí às cinco horas e encontrar todo o pessoal caindo de bêbado!

Depois desligou para imediatamente engatar conversa comigo.

— Vesti-me com o mesmo tailleur que usava no dia do seu batizado. Feliz aniversário, meu querido! Olha o que comprei no hall do hotel em sua homenagem!

Ela exibia o mesmo anel com um topázio engastado que María Abelarda acabara de me mostrar. Elas tinham comprado dois anéis idênticos, e isso com o meu dinheiro. Não tinha percebido antes a que ponto minha mãe e María Abelarda se pareciam, uma semelhança acentuada pela idade. E as duas tiverem um modo idêntico de se encolerizar.

– O joalheiro me jurou que esse topázio era único!
– A mim também! E quanto você pagou por ele?
– Um milhão de francos!
– Eu paguei o dobro!

As duas me deixaram para fazer um escândalo em duo na joalheira do hotel e buscar o reembolso, cujo montante certamente guardariam para si.

Debaixo do chuveiro, eu me perguntei o que haveria de verdade nas informações extradiplomáticas de meu pai. Meu pai era uma velha raposa da política, mais ou menos retirado num consulado fictício, mas, como todos os argentinos realmente patriotas, acalentava ainda o sonho de chegar à presidência da República. E a escolha do acaso recaiu sobre mim. O que eu julgava erradamente desimportante em nossas relações havia aguçado a competitividade que ele sempre manifestou em relação a mim e que minha mãe só ajudara a promover ao longo dos anos. Ele provavelmente esperava que eu o chamasse em meu socorro, ou que, ao menos, lhe oferecesse um posto de conselheiro em meu gabinete; daí sua cólera esta manhã. Mas e se ele tivesse razão, se houvesse realmente russos na jogada? A recente democracia na Argentina abria outras possibilidades de manipulação do país, além daquelas que as ditaduras tornaram habituais. Um presidente militar pode ser comprado a qualquer ocasião, mas um presidente civil deve ser obrigatoriamente comprado com muita antecedência e de primeira mão. Na recepção da noite, seria preciso ter uma conversa séria com meu pai; não queria que ele imaginasse que iria ter o mais insignificante papel político em meu governo nem que pudesse tirar algum proveito de minha nova situação. Seria preciso que os membros de minha família se esforçassem para manter as mãos limpas; um escândalo desse tipo poderia manchar perigosamente a minha respeitabilidade, e a história recente argentina nos fornece inúmeros exemplos disso.

Quando saí do banheiro, minha mãe e María Abelarda bebiam alegremente dry martinis em companhia de Miguelito Pérez Perkins.

— Seu adido diplomático é encantador – disse-me minha mãe.

— Que adido diplomático?

— Eu – disse Miguelito, gaguejando. Recebi por telefone, do próprio presidente Alfonsín, a ordem de não sair dos seus calcanhares, quero dizer, de me colocar à sua disposição noite e dia.

— Não é o caso! Diga ao presidente que não aceito nenhum espião no meu encalço e que sou muitíssimo capaz de me defender sozinho!

— Duvido muito, você nem tem uma arma!

— Arma? Quer dizer que você está armado?

Ele tirou do bolso uma pistola branca com cabo de nácar.

— Uma pistola de mulher! Você é ridículo!

— É a arma de Raoula.

— Dê-me isso aqui — disse María Abelarda tomando de suas mãos a arma e introduzindo-a rapidamente em sua bolsa. — Sempre pode ser útil.

Miguelito murmurou algum protesto.

— E você diga ao presidente Alfonsín — acrescentei — que, se ele me crê capaz de trair os interesses de meu país, nem vale a pena que eu o coloque a par do que quer que seja! Se você me deixar em paz, prometo um relato cotidiano sobre minhas conversas com Sigampa, porque, de resto, não tenho nada a esconder de ninguém! Mas com a condição de não mais vê-lo arrastando-se às minhas costas, seu jesuíta!

— Vamos, meu querubim, acalme-se — protestou minha mãe.

— E você diga ainda ao seu presidente que, se um dia eu for medir forças com ele, não será através de fantoches intermediários como você, mas nas urnas! E agora pode tratar de sumir daqui!

— Você está sendo severo com esse jovem que só quer protegê-lo — disse minha mãe com autoridade. Meu caro Miguelito, não ouça meu filho, a política lhe subiu à cabeça! Adoro sua franja e seu bigode, você parece tão argentino... Prometo abrir o baile dançando com você na recepção desta noite. Estou certa de que você é um excepcional dançarino de tango, dá para ver nesses seus olhos de veludo.

Minha mãe acariciou a franja de Miguelito; ele se deixou afundar numa poltrona, como era seu costume.

— Mas vou perder meu posto de adido cultural!

— Você só precisa dizer que está me seguindo o tempo todo!

— Eles saberão que é mentira, eu próprio estou sendo seguido!

María Abelarda interveio em seu favor.

— Vamos mantê-lo conosco, pode acabar sendo útil.

— Oh! obrigado, mil vezes obrigado — disse Miguelito com os olhos cheios de lágrimas.

A facilidade com que aquele homem — que tinha a minha idade, e era ainda por cima meu ex-colega de escola — começava a tremer diante de minhas bravatas chocava-me, como ontem as lágrimas do embaixador. Seria necessário que eu dominasse um pouco minhas explosões de humor em público. Na posição privilegiada que me era conferida por minha nova situação, essas variações de humor seriam interpretadas imediatamente pela imprensa argentina — que é controlada por psicanalistas — como crises de paranoia de um diretor louco. Tentarei então ser amável com esse pobre Miguelito.

— E como vai nosso caro embaixador depois da passagem de seu querido puma?

— Ele também passou! – disse Miguelito aos prantos. Durante a noite, entrou no frigorífico da embaixada e fechou-se por dentro. Foi encontrado entre pedaços de boi (era a comida do puma por um mês), o crânio enfiado numa cabeça de vaca, o que fazia parecer que usava uma máscara de teatro.

— Que horror! – gritamos em coro.

— As autoridades argentinas não compreenderam seu gesto, sobretudo por ser justamente no dia em que obteve os quatro bilhões de dólares para o Estado. Também me mandaram vigiar você de perto: não acreditam na tese do suicídio. Eu mesmo não acreditaria se ele não tivesse deixado uma carta escrita de próprio punho dirigida a você. O embaixador guardou-a consigo no frigorífico. As autoridades francesas que realizaram as análises permitiram que lhe entregasse. Guarde bem essa carta ou entregue-a a seu advogado, pois é uma prova.

Ele me entregou entre dois dedos trêmulos um pedaço úmido de Kleenex azul-celeste, sobre o qual havia algumas frases rabiscadas; a maior parte das palavras era ininteligível. Mas reconstruí sem problemas uma estrofe de uma de minhas odes antigas, "A aurora boreal na Era glacial":

A brancura imaculada dos frios bancos de gelo
estremece um instante, depois se rompe;
ovo planetário e único, o mar congelado
deixa passar um ser à superfície.

Este ser descobre o ar e luz do dia.
A liberdade nasceu. E era teu ancestral,
o Embaixador dos Gelos.

Não logrei compreender como esse poema execrável poderia ocultar a mais insignificante mensagem, a não ser pela obscura relação entre o frigorífico e o banco de gelo; a menos que o embaixador estivesse se identificando com o embaixador dos gelos, noção que permanece muito vaga. O fato de um poema meu inofensivo estar de algum modo relacionado com o suicídio desse velho homem me transtornou. Nunca imaginei que minha obra pudesse exercer tal poder, e sobre tais pessoas. O grosso do meu público sempre foi formado, assumo isso, por umas duas mil professoras esclarecidas da América Latina e o mesmo número de intelectuais franceses mal informados, mas jamais por homens de ação ou políticos impermeáveis em geral a esse gênero de literatura, que eles consideram decadente. Ou então eu estava enganado. E se o interesse despertado pelo poeta nas aspirações humanas mais profundas (enfim, isso que chamamos de inspiração de artista) fosse nem mais nem menos do que o farol que guia os homens de boa vontade desde a noite dos tempos? Mas quem poderia medir o perigo de uma mensagem tão confusa? E então por que esses versos acabaram sendo as derradeiras palavras de um suicida, quando eu julgava ter dado à impressão uma mensagem de vida? Era preciso, sem tardança, redigir um manual que tornasse pública a correta interpretação dos meus principais textos disponíveis, do contrário eu poderia me ver acusado dos piores crimes, desde o suicídio de pessoas comuns até o assassinato em massa de colonos ingleses no sul da Argentina. Isso era urgente, mais urgente que o manifesto.

— Agora vamos deixá-la, sogra, para ir tomar um lanche na casa dos Sigampa — disse María Abelarda, beijando ao modo argentino, numa só face.

— E eu vou dar uma corrida até minha vidente, já estou atrasada. Tenho muitas coisas para lhe perguntar a seu respeito, meu filho. É verdade que ela nunca previu que você se tornaria presidente, e sim que morreria de uma morte violenta. Hoje tenho muitas provas para convencê-la do contrário. Ela jurou que eu desposaria um homem mais jovem do que eu, que usaria bigodes e franja, mas não acredito numa palavra disso. Ainda mais que seu pai ainda está vivo! Mas você é Miguel Pérez Perkins, o jovem que vai se casar com Raoula Borges?

— Sim, senhora.

— Depressa, mamãe!

Ela continuou a falar no corredor e no elevador.

— Eu conheci a mãe de Raoula. Nunca imaginei que ela tivesse a menor relação com Borges, se bem que como o pobre era cego... Essa mulher adorável e devotada se chamava alguma coisa Rodrigues, provavelmente Maria Rodrigues, e trabalhava na limpeza na Biblioteca Nacional. Era ela quem subia as escadas para ir buscar os livros que o velho Borges consultava para redigir seus plágios. Conheci a pequena Raoula, sua noiva, pulando corda entre as estantes da biblioteca, ela tinha apenas 6 anos. Era uma criança extraordinária: mesmo pulando corda ela era capaz de recitar o alfabeto chinês ou o Corão sem errar uma única vírgula. Ela chamava Borges de "O Divino", mas eu pensava que ela era filha do segurança da biblioteca.

— Raoula ainda é capaz de recitar o Corão e o alfabeto chinês – disse orgulhosamente Miguelito, bem como outras coisas que aprendeu depois.

— Viva, meu amigo, com uma mulher assim você não precisa de um aparelho de TV!

Ao sairmos do elevador, uma sequência de flashes me cegou. Habituada aos fotógrafos, María Abelarda agarrou-se a meu braço e sorriu com todos os dentes. Minha mãe fez o mesmo com o braço de Miguelito. Chegando à rua, fomos logo nos enfiando em nossa limusine, menos mamãe, a quem deixamos na calçada. Ela ainda ficou um longo tempo nos mandando beijos, metralhada continuamente pelos dois eternos fotógrafos da imprensa argentina.

Não conseguia me desvencilhar da imagem do embaixador com uma cabeça de vaca no frigorífico. Um suor frio cobriu minha testa: lembrei-me de um de meus sonetos, no qual um Minotauro se perde num labirinto de gelo cujas paredes vão se fechando sobre ele. E disse a mim mesmo que era tempo de abandonar o jogo.

8

Após um churrasco regado a excelente vinho de Mendoza, permanecemos à mesa na imensa estufa da mansão de Nicanor, em meio a plantas dos pampas.

Durante o almoço, minhas dúvidas sobre Sigampa se dissiparam uma a uma, a começar por sua aliança com os russos, pois o embaixador soviético estava presente. Era um homem encantador e muito distinto. Possuía uma voz de baixo e cantou para nós o hino nacional argentino na hora do champanhe e do doce de marmelo. Foi ele o primeiro a me apresentar suas condolências pela morte de nosso embaixador, por quem tinha grande afeição.

– O querido embaixador! – suspirou ele. Nós nos encontrávamos sempre nos festinhas para animais domésticos que a embaixatriz da China oferece uma vez por estação, festinhas muito concorridas pelo mundo diplomático. Enquanto a maior parte dos convidados vinha com seus lebréis ou seus angorás, nosso querido embaixador da Argentina trazia seu puma, que assustava a todos, pois já havia devorado o pequinês da embaixatriz!

Riu longamente com sua voz de baixo, recordando o caro morto. Contei-lhe sobre a morte também trágica do puma Petardo, ocorrida na véspera em minha cozinha. Ficou consternado.

– E eu que deixei meu urso no carro... Espero que os guarda-costas de Sigampa não cometam o mesmo erro de ontem!

Convidou-me para os passeios a cavalo que realizava em companhia de Nicanor todos os domingos no Bois de Boulogne, ora para passear com seus cães, ora para passear com seu urso. María Abelarda apressou-se a aceitar em meu lugar.

O embaixador Zivago (primo do outro, ao que parece) nos assegurou que era tradição entre os embaixadores com posto em Paris (e isso desde o Império) adotar como bicho de estimação um exemplar de um animal entre os mais representativos de seu país; por isso possuía um urso, nosso embaixador um puma, o do Marrocos um camelo, e o dos Estados Unidos um búfalo. Quem mais incomodava, nas tais festinhas para animais, era o embaixador da Índia, que vinha com seu elefante, e o mais perigoso, o do Brasil, com sua anaconda pronta para devorar a mascote de um país vizinho.

– Quando chegarmos ao poder – apressei-me a declarar –, substituiremos, nas tradições diplomáticas argentinas, o puma pelo cavalo, que é um animal mais nobre e mais representativo de nosso país.

– É impossível – cortou Igor Zivago –, o cavalo já pertence ao embaixador da Pérfida Álbion, nossa inimiga tradicional!

A embaixatriz da URSS e María Abelarda simpatizaram de imediato uma com a outra; ambas eram apaixonadas pela nova pintura americana; marcaram um encontro no dia seguinte para fuxicar nas galerias.

Quase todos os outros comensais eram primos de Nicanor, africanos e americanos em sua maioria, mas havia também negros dos países do Leste, e até primos-irmãos do Japão. Tinham se reunido em Paris para as festas de fim de ano e suas esposas aproveitavam para esvaziar a praça Vendôme. Saídos de uma mesma tribo africana, tinham feito fortunas fabulosas em cinco ou seis gerações nos diferentes países de adoção que os tinham reduzido, inicialmente, à escravidão. Disseram-me que eram qualquer coisa em torno de duzentos chefes de família no mundo a pertencer, mais que a uma família, a uma multinacional. Dessa fonte viriam os fundos para o financiamento de minha campanha eleitoral, e não dos russos, pois o embaixador Igor Zivago me confiou que os próprios membros do Soviete Supremo tinham o costume de pedir dinheiro emprestado a Sigampa, dinheiro que raramente era reembolsado. A generosidade parecia uma característica natural dessa família, em que todos os membros estavam, paradoxalmente, nas altas finanças. Compreendi que ocupavam, em seus respectivos países, postos muito importantes, ainda que o nome Sigampa nunca aparecesse nos jornais. Sua influência permanecia discreta; não acediam senão muito raramente a um cargo público, mesmo nos países africanos, e, contudo, viviam quase todo o tempo nas suas imensas possessões.

Tive uma conversa muito interessante com Salâme Sigampa, primo de Nicanor e presidente do Banco Afro-Vaticano. Amigo particular do papa João Paulo II, os dois tinham passado longas noites em claro imaginando um mundo onde não se veria mais a diferença entre os negros e os brancos, todos seriam mestiços, como no dia da Criação. Para isso, seria necessário antes de qualquer coisa catequizar a África, tarefa tão utópica quanto iniciar um polonês na macumba. Perguntou-me muito polidamente se eu seria favorável, uma vez eleito, a um projeto de imigração maciça de negros para a Argentina. Fiquei entusiasmado com a ideia; sempre pensei que a Argentina sofria de um complexo de inferioridade em relação ao seu vizinho, o colosso brasileiro, pelo fato de não ter raízes negras. Nossa falta de pitoresco nacional vem daí, apesar de todos os nossos esforços para remediá-lo.

Nosso gigantesco país, ainda por cima desértico, só poderia sair ganhando com esses milhões de imigrantes africanos habituados às piores condições de vida e de trabalho. Dava para apostar que em menos de uma geração eles chegariam a transformar a árida Patagônia, metro por metro, em um paraíso terrestre, como seria a África se ela tivesse outra geografia, que permitisse outra organização social. Assim, nosso pobre povo argentino, maltratado e envelhecido antes do tempo por esses últimos anos de ditadura militar, povo forçado à triste condição de imigrante, encontraria nessa nova mestiçagem um banho de juventude providencial.

O embaixador Zivago, também entusiasmado com a ideia, ofereceu, em nome da URSS, o financiamento dos trabalhos de irrigação que tornariam fértil a Patagônia até a Terra do Fogo. Fabulosa missão que requisitaria a utilização de energia atômica. Muitas centrais seriam assim instaladas às suas custas.

Wong Sigampa, um velho negro de olhos puxados, tio de Nicanor e originário do Tibet, me propôs que acolhesse algumas centenas de milhares de pigmeus da Ásia Menor, que descendiam de uma tribo africana instalada por lá havia séculos e que eram perseguidos por causa de sua religião pagã. Declarei que na Argentina havia lugar para todos os homens de boa vontade. A Argentina, no fim das contas, é constituída por um mosaico de minorias oprimidas vindas do mundo inteiro, inclusive a minoria indígena. Citei um de meus poemas mais conhecidos: "Argentina, orgia das raças, tutti fruti planetário, o sol te saúda." Felicitaram-me calorosamente.

O embaixador dos Estados Unidos, um branco atlético de cabelos grisalhos, propôs-me o envio de negros norte-americanos, mas Nicanor, muito diplomaticamente, recusou, pretextando que a América do Norte era tão americana quanto a América do Sul e que uma vez concluído seu período de mestiçagem, eles deveriam se virar sozinhos.

Sugeri um movimento de migração perpétuo ao redor do planeta (era esse o leitmotiv de uma de minhas odes mais conhecidas) que derrubaria a noção de fronteiras e raças entre os homens. A conversa se perdeu em propostas confusas, e Nicanor me tomou pelo braço para me afastar do grupo. Por causa do acidente da véspera, apresentava uma leve claudicação na perna direita, e andava com uma bengala de ébano, elegantemente manejada.

– Minha família está encantada por conhecê-lo. Felicitaram-me calorosamente. Isso vai nos permitir uma ampla possibilidade de manobras durante sua campanha eleitoral, principalmente no que diz respeito às verbas publicitárias.

Apresentou-me a uma encantadora jovem que trajava um bubu branco e vinha ao nosso encontro. Ela se ocuparia de minha propaganda. Também era prima de Nicanor, chamava-se Wallis Sigampa e dirigia uma empresa de publicidade em Milão.

– Vou mandar fabricar uma série de manequins do seu tamanho, reproduzindo os seus traços, com diferentes roupas, que poderemos trocar sempre, do *gaucho* ao punk, passando pelo uniforme e pela batina. Distribuiremos uma efígie por família para que todo mundo se habitue a vê-lo sempre num canto da casa com a roupa adequada a cada circunstância. Antes mesmo das eleições, em cada lar argentino, as pessoas se acostumarão à sua presença como a de qualquer outro membro da família.

Ainda que a ideia de ter um manequim meu em cada lar argentino anunciasse mais pontapés do que saudações respeitosas, felicitei-a por sua iniciativa.

Um empregado paraguaio veio anunciar que eu estava sendo chamado ao telefone; passei para a sala vizinha por uma porta de vidro. Peguei o fone. Era meu pai.

– Já sabe quem matou o embaixador da Argentina?

Meu pai sempre achava a maneira de me tirar do sério.

– Ninguém o matou, ele se matou, até me deixou umas palavras!

– Um velho poema recopiado Deus sabe quando, isso lá é prova? E em caso afirmativo, é uma prova contra você!

– Não diga asneiras, papai! De qualquer maneira, eu tenho um álibi perfeito, pois não deixei nem por um minuto meu quarto no George V.

– Não tão perfeito, a meu ver! Mas eu sei que você não é o assassino, você é covarde demais para isso! O crime foi cometido para que você fosse acusado! Enquanto a polícia francesa e a argentina trabalham em conjunto para lançar esse crime nas suas costas, você banca o palhaço com os Sigampa numa reunião mundana!

– Mas quem poderia me querer mal a esse ponto?

– Olhe ao seu redor! Foi certamente alguém que o conhece bem!

Por trás da porta de vidro, Miguelito Pérez Perkins conversava com Raoula Borges; tive a impressão de que falavam de mim, pois todo o tempo os dois ficaram me olhando de esguelha. E se fossem eles os assassinos do embaixador? Mas como esse casal de idiotas teria podido imaginar uma encenação tão macabra, e apenas para me condenar em seu lugar? Isso não se sustentava. Livrei-me de meu pai e decidi tratar o assunto com Nicanor, que acabava de entrar na sala, mas ele foi logo se adiantando.

— Estou muito contrariado com o comportamento de minha mãe desde hoje de manhã. Ela se trancou na cave, onde está se entregando a uma dessas sessões de feitiçaria de argentina do interior. Ela sempre praticou bruxaria, como todas as velhas do interior, com a felicidade que você pode imaginar, mas enfim, se isso a diverte. Hoje, contudo, foi mais grave. Dá para ouvi-la entoar suas encantações desde a madrugada, e ela já sacrificou três galos pretos. O que mais me embaraça é que não quer sair da cave nem para cumprimentar seus parentes que vieram nos fazer essa visita.

Disse a mim mesmo que dona Rosalyn estava muito bem lá onde estava, mas fingi me preocupar com sua saúde, trancada naquela cave úmida.

~

Na varanda vizinha, a animação não diminuía. Descobri estupefato que todos estavam fumando ópio. Os servidores distribuíam os cachimbos de bambu e mates bem açucarados. Uma garotinha, talvez a filha de Nicanor, cantava, de pé sobre uma cadeira, "Silent Night, Holy Night..." María Abelarda tagarelava, agarrada ao braço de Salâme Sigampa, seu amigo do Banco Afro-Vaticano.

Raoula Borges e Miguelito Pérez Perkins entraram na sala onde nos encontrávamos. Nicanor pareceu visivelmente contrariado.

— Espero que não tenham vindo me atormentar com aquela proposta! Já disse que ela não me interessa absolutamente!

Os dois se retiraram sem pronunciar uma única palavra; pedi uma explicação a Nicanor.

— Como pode um cretino desse ser seu secretário?!

— Meu secretário — exclamei — é só um espião que o governo argentino colocou nos meus calcanhares!

— Pois saiba, meu caro Copi, que este sujeito é seu pior inimigo! Sabia que ele é poeta?

— Mais ou menos.

— Seus versos são uma bosta, pretensiosos e insignificantes. Pois bem, saiba que esse senhor ousou apresentar sua candidatura à presidência, pretextando que a obra dele é mais imaginativa, mais moderna e mais humana que a sua!

— Isso não me espanta!

Contei-lhe sobre minha conversa telefônica com meu pai, mostrando-lhe que Miguelito tinha sido o último a ver o embaixador com vida, pois o tinha acompanhado até a embaixada, deixando o corpo do puma em minha cozinha. Além disso, o embaixador era um homem corpulento. Ele devia conhecer bem seu assassino, de outro modo não se teria deixado trancar no frigorífico.

Nicanor quase engasgou de indignação.

— Espere-me aqui, vou telefonar do meu escritório para o ministro do Interior, que é um de meus amigos pessoais! Vou fazer com que prendam imediatamente esse Pérez Perkins!

Deixou-me ali. Eu devia ter desconfiado: meus piores inimigos não são os políticos, mas as pessoas da minha espécie, os inúmeros intelectuais argentinos que vagam pelo mundo em busca de uma consagração improvável, sempre prontos para trair seu companheiro de letras. Quem sabe desde quando esse Miguelito Pérez Perkins me dedicava um ódio implacável? Talvez desde a escola dos jesuítas, onde eu era o primeiro em latim. María Abelarda me tirou dessas reflexões sentando-se bruscamente sobre o braço de minha poltrona.

— Se você não fosse presidente, eu teria trocado você por uma multinacional! Aviso que neste verão passarei minhas férias na África.

Também ela me deixou, sem dizer uma palavra a mais. Na varanda, uma bela jovem em trajes africanos cantava uma canção bem ritmada, e os embaixadores americano e russo, bastante bêbados, se requebravam de modo grotesco. O embaixador russo dançava como um urso, o dos Estados Unidos, como um búfalo.

A imagem do falecido embaixador da Argentina com uma máscara de vaca na cabeça me tomou de novo, a ponto de eu sentir o frio do frigorífico. Esse homem fútil, que não deixou sobre a terra nenhum traço além de seu puma, me havia tocado em algum ponto. Ao seu modo, ele tinha sido uma pessoa sensível. A prova era a admiração que dedicava à minha obra. E foi isso talvez o que o perdeu. Imaginei Miguelito Pérez Perkins e Raoula Borges empurrando o embaixador para dentro do frigorífico, enfiando-lhe em cima uma cabeça de vaca. Esses dois monstros não podiam ignorar meu soneto "O Minotauro congelado", e esse detalhe sórdido era endereçado a mim. Pobre embaixador! Foi também, de certa maneira, o primeiro mártir de minha causa; prometi a mim mesmo que daria seu nome a uma praça de Buenos Aires.

Poucas pessoas permaneciam ainda na varanda. María Abelarda seguia em sua conversa com Salâme Sigampa, e os dois embaixadores se retiraram carregados por suas embaixatrizes. Algumas crianças negras, vestidas como na corte da Inglaterra, pulavam amarelinha, enquanto seus pais, sentados negligentemente em cadeiras de bambu, tomavam a fresca.

Súbito, vi passar Miguelito Pérez Perkins, a franja em desordem, portando um par de algemas, escoltado por dois policiais. O grupo desapareceu rapidamente no elevador. A cena se desenrolou com tanta discrição que ninguém na varanda se deu conta do ocorrido, a menos que todos estivessem muito habituados a testemunhar cenas desse tipo. Não seria impossível, de jeito nenhum. Essas pessoas passavam suas vidas em companhia de guarda-costas, e isso desde o berço. Aparentemente os guarda-costas eram todos paraguaios – mesmo os daqueles que eram primos Sigampa da Ásia Menor –, a não ser que fossem cambojanos.

Uma mão tocou meu ombro, levei um susto. Era Nicanor.

– Aquele ser ignóbil acaba de ser preso – exclamou.

– Eu vi o infeliz passar algemado.

– Não tenha nenhuma consideração por esse tipo de gente, Copi! É um terrorista da pior espécie! Com esse crime abominável, ele pretendia não apenas manchar seu nome e nosso movimento, mas, além disso, introduzir na imprensa portenha a ideia sorrateira de que seus poemas trazem infelicidade a seus leitores, e você sabe que a reputação de dar azar pode ser fatal na Argentina!

Nicanor estava tão mexido por essa história que me vi na obrigação de tranquilizá-lo.

– Ele não vai ser o último dos caluniadores, mas espero que os outros não cheguem ao extremo de assassinar um inocente para me desacreditar.

Comuniquei-lhe minha ideia de distribuir um manual para a boa interpretação e o bom uso de minhas principais obras; prometeu-me se ocupar disso o mais rápido possível. Sentou-se em um banquinho e tomou minhas mãos nas suas. Tanta familiaridade me incomodava um pouco, mas pensei que era necessário habituar-me a essas efusões, bem como ao seu espantoso servilismo na relação comigo. Em momento algum ele me contradisse, ao contrário, sempre se apressou a realizar meus menores desejos, como o gênio da lâmpada de Aladim. Olhos nos olhos, o homem me atirou essa pergunta inacreditável: "Você é feliz, Copi?" Aquilo me pegou de surpresa, tanto que nem consegui elaborar uma resposta. Feliz? Não, certamente eu não era feliz, e esse era o menor dos meus problemas.

— Se experimento uma mudança em relação ao que eu era antes de conhecê-lo – disse eu, pesando as palavras –, não é de felicidade que se deve falar. Mas, se o anonimato no qual vivi até agora pode ser qualificado de infortúnio, eu sou, se não feliz, alguém que escapou à infelicidade comum. Mas entre o homem que eu era ontem e o homem que serei amanhã, permanece o homem de hoje; não sou feliz nem infeliz, não sou ninguém.

Eu me ouvia falar como se fosse outra pessoa, surpreso com meus próprios pensamentos e ainda mais pelo modo como os formulava.

— Se lhe devo um reconhecimento por qualquer coisa, é por esse estado de alma que ainda não conhecia, estado de alma puro. De tanto disputar minha alma com Deus, jamais havia notado que ela existia de fato. E foi você quem me revelou isso. De agora em diante, pouco importa o que o futuro me reserva, pois tenho uma alma.

Nicanor captou o sentido de meu discurso e, apertando minhas mãos nas suas:

— Sua alma, meu querido Copi, será doravante também a minha! E ela decidirá nossa ação no futuro!

María Abelarda e Salâme Sigampa entraram no cômodo em que estávamos; pela sua expressão, compreendi que María julgou estar nos surpreendendo numa situação equívoca e, muito confuso, soltei as mãos de Nicanor. Este e seu primo Salâme nos deixaram para ir à varanda falar de polo, de mãos dadas.

– Quer dizer que Miguelito Pérez Perkins era o assassino do embaixador – exclamou María Abelarda quando ficamos sós. – Não consigo acreditar! Trata-se de um crime realmente diabólico, e esse Miguelito me parecia totalmente idiota!

– Entretanto, você que se vangloria de saber que os homens podem se apaixonar por outros homens, deveria saber também que eles podem se dedicar um ódio mortal!

– Mas o que o levava a nutrir um ódio tão grande por você?

Contei-lhe sobre as manobras de Miguelito para obter meu lugar de candidato à presidência e sobre a mediocridade notória de seus poemas. María Abelarda não me pareceu, contudo, convencida.

– É a brutalidade do crime que me choca. Jamais acreditaria que fosse capaz de algo assim!

– Você nunca pensou que os grandes criminosos são artistas fracassados? A imaginação transbordante que não se resolve em uma profissão criativa dirige-se instintivamente para a destruição, pior, para o aniquilamento da espécie humana!

Deixei de lado um raciocínio que poderia facilmente ser usado contra mim. María Abelarda me olhava fixamente.

– O que você tem? – murmurou ela. Nem parece que é você aí falando, você mudou sua cabeça.

Aproximei-me do espelho, no fundo da sala. Não tinha, é claro, mudado a cabeça, todavia... Era possível que, de tanto olhar para Nicanor, eu tivesse me apropriado de alguns de seus tiques e expressões. Tinha os olhos mais arredondados que o normal, e um grande sorriso cortava todo o meu rosto. Contemplei a varanda à luz cinzenta de um anoitecer de dezembro em Paris. Os empregados acendiam as velas dos candelabros. Entre as plantas argentinas – magnólias, paineiras, madressilvas e até um pequeno umbu – a santa família se despedia. Se tivesse que escolher uma imagem, para uma foto de propaganda eleitoral, seria essa, que exalava uma enorme atmosfera de paz.

– O que é que o faz rir desse jeito? – perguntou María Abelarda.

Não soube o que responder. Por uma vez, meu sorriso não exprimia nem ironia e nem sarcasmo. Sorria de felicidade.

9

Na limusine, Salâme Sigampa assumiu o lugar do condutor, e Nicanor sentou-se a seu lado. No banco de trás, íamos María Abelarda e eu. Na segunda limusine, seguiam Wong Sigampa e os três outros membros notáveis da família, Fédor, Cesare e William; esse último, um pastor luterano ianque. Na terceira limusine, estavam nossos guarda-costas e, mais longe, seguia um número de carros que não consegui contar, com os membros da família Sigampa e seus amigos.

O consulado do Uruguai, onde não colocava os pés havia um ano, estava enfeitado em minha homenagem com um pinheiro de Natal que ocupava o pátio e subia até a altura do teto. Ao chegarmos, a árvore ardia alegremente, e umas trinta pessoas alarmadas se atrapalhavam com baldes de água. Os bombeiros retiraram uma vaca torrada dos escombros. Como as chamas foram contidas nos primeiros degraus da escada, pudemos entrar.

Uma confusão extrema reinava no hall. Meu pai acusava os empregados, cedidos pelo consulado da Bolívia, de terem deixado queimar as vacas, três ao que parece, enquanto comemoravam o Natal na cozinha com seis caixas de champanhe argentino (as garrafas vazias estavam por todos os cantos). Os empregados, simples por natureza, riam da cólera de meu pai, enquanto minha mãe, de penhoar, a cabeça coberta de rolinhos, tentava gritar mais forte que todo mundo.

– O que vou oferecer a nossos convidados? Vá correndo esvaziar a Fauchon!

– Você quer me arruinar? – indignou-se meu pai. – Ofereceremos canapés!

– Canapés, meu amigo? Canapés de quê?

– De doce de leite! Na adega tem uma tonelada, foi entregue esta manhã.

Enviaram os empregados para comprar meia tonelada de pão de forma. Levei o grupo de parentes e amigos de Nicanor para o primeiro andar. María Abelarda instalou-os em três grandes salões contíguos, enquanto Nicanor, Salâme, Wong, Cesare, Fédor, William Sigampa e eu nos dirigimos ao escritório de meu pai com a intenção de redigir o manifesto que eu leria à noite para a imprensa. No momento em que nos acomodávamos no escritório, meu pai entrou, agitadíssimo, como sempre.

– Pérez Perkins foi solto pela polícia, está vindo para cá exigir explicações! Espero que vocês não se batam em duelo em meu consulado, tenho uma reputação a salvaguardar.

– Ele foi solto? Tão rápido!

– A mulher do embaixador confessou o crime!

— A mulher do embaixador? Mas não parece um crime de mulher!

— Mas foi! Desesperada com a morte do puma, que ela amava como a um filho, pensou que o embaixador o tinha matado antes de tentar se livrar dela e partir, sozinho, para uma ilha na costa do Brasil. Ela o apunhalou nas costas antes de arrastá-lo para o frigorífico. Resolveu se entregar quando soube, pela polícia, que o puma tinha sido morto acidentalmente e que o embaixador não tinha culpa nenhuma no caso.

— Impeça Pérez Perkins de entrar no consulado!

— Impossível! Não posso proibir a entrada de um adido cultural argentino no meu consulado, ainda mais se tratando de um inocente!

E saiu ainda mais furioso do que quando entrou.

— É preciso evitar que esse rapaz faça declarações à imprensa – disse Nicanor –; ele poderia nos colocar numa situação muito delicada, sobretudo se disser que foi preso por causa de um pedido expresso meu.

— Vai ser preciso eliminá-lo – disse Wong Sigampa com um sotaque da Ásia Menor.

Eu me insurgi:

— Oponho-me formalmente a que um homem seja executado por ordem nossa! E essa advertência valerá pelo tempo em que estivermos unidos. De resto, se Pérez Perkins é inocente, nós lhe devemos, ao contrário, desculpas!

— Nós daremos a esse pobre rapaz alguns dólares – disse William Sigampa, o pastor luterano.

— Alguns rublos serão suficientes — corrigiu Fédor Sigampa, um colosso negro de dois metros e vinte, trajando uniforme do exército soviético e coberto de medalhas.

— Senhores — eu disse —, nós estamos aqui para redigir um manifesto!

Nicanor apresentou as notas que acabara de rabiscar.

— O mais lógico — disse Nicanor — é redigir primeiramente uma lista com suas promessas eleitorais, mas evitando o assunto da imigração; você sabe a que ponto os argentinos são nacionalistas. Imagine só se um jornalista começa a falar no perigo negro, racistas como são.

Todos concordaram. Cesare Sigampa tomou a palavra. Poderoso industrial de Turim, trajava, em pleno inverno, um terno de seda branco.

— A Argentina é uma jovem democracia — disse ele com seu sotaque italiano que soava argentino. — Quem ousaria chocar uma jovem que se pede em casamento anunciando que se lhe prepara um futuro num bordel de negros? Não, meus amigos! O que espera uma jovem que se pede em casamento? Um carro! Ofereçamos carros! Transportemos para a Argentina nossos carros da Itália e da Alemanha. Com isso nos desembaraçaremos da necessidade de mão de obra europeia, cara demais, mesmo a clandestina. Para começar, ofereceremos a cada família argentina um carro como presente eleitoral.

— Um carro? Mas isso vai custar uma fortuna!

— Entregaremos o carro sem o motor, e depois venderemos os motores pelo preço do carro. Será, além de tudo, uma operação rentável.

— Muito bem – disse eu –, mas deixemos a propaganda eleitoral para mais tarde, falemos antes do manifesto.

— Eis os primeiros temas – disse Nicanor –: justiça social, economia internacional e lazer. Quanto à justiça social, escolhi um trecho de sua obra mais marcante, *O sol vermelho dos pampas*: "Em minha última morada incluirei um cantinho de lembrança pelos que têm fome. Deus, se existes, dá um pão aos pobres!" Creio que é o suficiente como alegoria. Em cima disso, você anunciará a estatização das padarias e prometerá pão gratuito para todos, e, aos domingos, bolo. Você pode acrescentar a promessa que bem lhe aprouver; prometa escolas e bibliotecas, o que fará todo sentido vindo de você. Quanto à economia internacional, você não precisa acrescentar nada ao cheque de quatro bilhões de dólares que depositei ontem no Banco Nacional Argentino, só precisa deixar bem claro que esse dinheiro veio de nosso Movimento, do qual você é o líder absoluto. Até aí você está de acordo?

Não achei realmente nada que pudesse ser acrescentado, mas quis saber um pouco sobre as promessas eleitorais relativas ao lazer.

— Os argentinos são fãs de cinema, a ponto de fazerem de seus presidentes os atores de um filme infinito, nos quais cada expressão é lida como no cinema. É só recordar a ideia cinematográfica que eles têm de Eva Perón e seu destino, e ela não é a única em sua família. Não é preciso cuidar apenas de sua imagem e de María Abelarda, mas também, e sobretudo, do filme. Penso que seria inútil tentar dissimular seu passado boêmio; depois de vinte anos passados no exterior, isso é impossível. Será preciso dizer que na Argentina o seu estilo, característico de um autóctone que viveu muito tempo na Europa, se presta melhor ao riso; você não tenta impor, como os outros argentinos que ficaram no país, um lado tenso e dramático e é bom que seja assim. Mantenha esse ar distraído e, sobretudo, não tente se reprimir quando tiver vontade de fazer uma tempestade pública em um copo d'água, como é seu costume; esse seu aspecto zangado torna-o muito simpático. E tanto melhor se você e María Abelarda vivem às turras, isso fará a imaginação das mulheres trabalhar. Como propaganda eleitoral, temos a intenção de rodar um filme sobre sua vida em família, mas é preciso ser engraçado, à maneira das comédias americanas. Podíamos pedir a colaboração de seus pais, que trabalhariam como coadjuvantes. Mas, e isso é o principal, a coisa não deve descambar para o dramático, você compreende, não é?

Eu compreendia muito bem e o disse sem engasgar.

– Em suma, o que você quer é um presidente clown? Pois eu recuso, senhores!

– Não somos nós que queremos um presidente cômico, mas você que é assim. Você não é clownesco, mas você é um poeta, o que é bem perto do clown. Não pedimos mais do que o seu verdadeiro rosto, você é contra isso?

Wong Sigampa acrescentou com seu sotaque da Ásia Menor:

— Você é muito, muito poético, meu caro presidente! Não posso nem olhá-lo sem sentir vontade de rir e não posso me conter quando o imagino na sacada da Praça de Maio, de pé sobre uma banqueta, atrás da balaustrada.

Os primos explodiram numa gargalhada como só os negros sabem gargalhar, até os lustres tremeram. Levantei-me, vermelho de raiva.

— Senhores, senhores — repeti muitas vezes antes de me fazer ouvir —, senhores, mantenhamos a seriedade, por favor! É inadmissível que riam assim do aspecto físico de uma pessoa, por mais ridícula que ela seja! Desde a escola minha baixa estatura me valeu as piores gozações, mas não esperava por isso da parte de vocês! O que estão dizendo é no mínimo racista!

Em lugar de acalmá-los, minha tirada os fez rir ainda mais loucamente.

— É impagável — exclamou o russo Fédor. — Com discursos assim você faria rir até o cadáver de Stálin!

Nicanor, bastante incomodado, me pegou pelo braço e me arrastou para fora do escritório.

— Estou desolado por essa cena lamentável. Meus primos têm um senso de humor muito particular. Eles são incapazes de se controlar quando estão juntos, sobretudo nesse período de festas!

– Você está desculpado, Nicanor, mas espero não ter que debater todas as minhas decisões com sua estranha família!

– Copi, eu lhe asseguro que é a última vez que os vê! Essa reunião tinha por objetivo fazer com que você fosse aceito; agora a coisa está feita, nós tivemos o seu aval!

– Como assim me fazer aceitar por eles? Eles me ridicularizaram!

– Olha, Copi, o humor negro é muito, muito negro, mas sem maldade alguma!

Julguei inútil responder, bastava saber que não os veria nunca mais. Preferi então tranquilizá-lo, declarando que estava de acordo com o fundo do manifesto e que meu discurso à noite seria fiel às suas sugestões. Ele me agradeceu vivamente, apertando minhas mãos.

– Eu o apresentarei à imprensa, vou fazer a metade do trabalho. E, sobretudo, eu o proíbo de se irritar!

– A que horas a imprensa vai chegar?

– Oito horas, e são apenas seis e meia. Vá descansar um pouco num dos quartos de seus pais, você está me parecendo muito cansado. Logo virei buscá-lo.

Estava precisando mesmo ficar um pouco sozinho, então nos separamos. Quando ele tornou a abrir a porta do escritório de meu pai, ouvi seus primos que ainda riam furiosamente. Dei uma espiada no andar de baixo. Estavam dispondo uns instrumentos musicais sobre um palco. Os primeiros convidados de meus parentes começavam a chegar, a maior parte era de diplomatas sul-americanos meio índios. María Abelarda e meu pai, de smoking, os apresentavam à família Sigampa e a seus amigos negros. Já me dispunha a subir para o segundo andar quando Miguelito Pérez Perkins, saído aparentemente de lugar nenhum, plantou-se no primeiro degrau da escada, me barrando a passagem. Tinha os traços tensos e um olhar de alucinado. Seu bigode tremia e sua franja molhada de suor caía-lhe nos olhos. Atrás dele, dois degraus acima, a filha de Borges se mantinha em guarda como um lutador de boxe. Miguelito me falou com voz trêmula; seus olhos se encheram de lágrimas.

– Como você pôde suspeitar por um só instante que eu fosse o culpado de um crime tão monstruoso? Você sabia que eu amava o embaixador como se fosse o meu próprio pai?

Baixei os olhos, realmente confuso. Ele prosseguiu:

– Você, meu mais antigo amigo, meu colega de colégio? Quando eu só estava tentando protegê-lo?

– Verme! – gritou-me Raoula Borges. – Ditador! Fascista! Hitler!

– Não exageremos – murmurei –, mas estou realmente constrangido por todo esse episódio, Miguelito, vamos fazer as pazes.

– Onde está esse Sigampa? Quero tratar daqueles cabelos... – disse Raoula.

– No escritório de meu pai. Mas eu não a aconselharia em hipótese alguma a entrar ali. Ele está em companhia de quatro de seus primos, e são pessoas muito difíceis de afrontar.

Longe de ouvir meu conselho, os dois entraram resolutamente no escritório. Não se poderá dizer que não os adverti! No fim das contas, não corriam risco maior do que o de servirem de bufões para a temível corte dos Sigampa e ainda receberem um cheque substancial como agradecimento.

Minha mãe, em seu apartamento, começava a se vestir, auxiliada por minha avó, de cuja existência eu quase não lembrava mais. Era uma mulher velhíssima, tinha nos cabelos uma tiara enviesada e usava um vestido de cetim grená. Só se lembrava de umas poucas frases em francês, sua língua materna.

– O passarinho é azul – disse-me ela à guisa de bomdia, antes de voltar a puxar os cordões do corpete da filha.

Era ela quem vestia minha mãe desde o nascimento, e cumpria a missão, apesar de seu estado mental, com a energia e a precisão de um robô. Beijei minha mãe sobre a espessa camada de cremes que lhe cobria o rosto.

– Mamãe, será que eu poderia descansar um pouco aqui? Queria me deitar um instante no divã do seu quarto.

– Nem pense nisso. Prometi o divã a Miguelito Pérez Perkins. Esse menino acaba de passar a tarde na polícia e precisa de descanso. Preciso que ele esteja em forma à noite para abrir o baile comigo! De mais a mais, você não tem tempo para repouso, eu estava mesmo esperando um momento a sós com você para lhe falar. Feche a porta a chave, meu querido.

Conhecendo bem os momentos de confidência de minha mãe, fechei a porta a chave e me sentei num banquinho atrás dela, que me olhava pelo espelho de seu toucador, com minha avó entre nós dois. Cena familiar, mesmo nos sonhos, desde a minha infância.

– Antes de tudo, feliz aniversário, meu querido!

– Mas mamãe, eu já disse que meu aniversário não é hoje.

– Mas claro que é hoje, e é justamente isso o que eu queria lhe confessar agora, meu querido, você não é filho do seu pai!

Minha avó riu tontamente.

Eu poderia ter suspeitado, levando-se em consideração a vida dissipada de meus pais, mas jamais havia passado pela minha cabeça.

– E quem é meu pai?

Minha mãe deu um grito e puxou os cabelos que minha avó estava penteando; esta, por sua vez, também gritou e acabou perdendo sua tiara; minha mãe lançou-se a meus pés e confessou entre soluços:

– Você não nasceu na Argentina, mas num campo de concentração, em Auschwitz. Seu pai era um suboficial nazista.

Minha avó apanhou um punhado de pó nas caixinhas de maquiagem e atirou sobre nossas cabeças. Minha mãe me mostrou a tatuagem no seu antebraço, um lindo passarinho azul que eu conhecia e que sempre tomei por um capricho de juventude. Mas, dissimulado no traço das asas, distingui um número, em tinta mais negra e espessa, o estigma judeu.

— E eu, por que não tenho uma tatuagem, já que nasci ali?

— Eu lhe disse que seu pai verdadeiro era um suboficial nazista!

— E papai sabe disso?

— Claro que sabe, meu querido. Papai era o chefe de nosso pavilhão. Foi lá que o conheci. Nós fugimos com você nos braços, e mamãe atrás de nós, passando pelo duto de um forno crematório abandonado. Uma vez terminada a guerra, abreviamos nosso sobrenome e emigramos para a América do Sul.

— Mas por que vocês nunca me contaram?

— Não pensamos que fosse necessário você ficar sabendo, mas, agora que sua situação vai mudar, achei melhor informá-lo para que você possa se orgulhar de ser o primeiro presidente judeu da Argentina!

Levantei-me e a repeli. Minha avó veio ajudá-la a se erguer.

— Não acredito em nada disso, mamãe, não acredito em nada disso! É mais uma daquelas intrigas nas quais, com a conivência de papai, você tenta me envolver!

— Eu juro que você é judeu! Sua avó é testemunha, ela trouxe você ao mundo.

– Você disse que eu era filho de um suboficial nazista. Consequentemente, não sou judeu!
– É-se judeu pela mãe! Nossa raça não é boba!
– Então por que não fui circuncidado?
– Mas você é circuncidado! Ninguém nunca lhe disse?
Na verdade, por vezes cheguei a pensar que era circuncidado. Mas, por falta de experiência homossexual, jamais tive a possibilidade de comparar meu pênis com o de outro. Acabei simplesmente acreditando que tinha um prepúcio menos longo, e nenhuma de minhas amizades femininas achou que pudesse ser útil me alertar para o fato.

Minha mãe olhou para o relógio e soltou um gritinho de burguesa aturdida, como uma atriz que muda de papel.
– Sete e meia, e ainda não estou penteada!

Correu para o toucador, e minha avó, atrás das escovas. Uma cortina da janela se mexeu e apareceram os óculos de Raoula Borges. Ela tinha ouvido toda a conversa. Como tinha conseguido entrar sem que notássemos? E por onde? Certamente pela janela, depois de ter escalado o muro. Tentei retê-la, mas ela abriu a porta e saiu. À minha mãe só lhe interessava a cola de seus cílios postiços.
– Essa menina Borges não herdou a educação de seu pai. Ele nunca se permitiria escalar um muro para ouvir uma conversa particular!

Notei o perfil semítico de minha mãe e de minha avó, bem como o meu. Desse modo, sempre fui judeu sem o saber e meu verdadeiro nome não era Copi, de origem italiana, mas Kopisky, de uma família de copistas de Varsóvia. No fim das contas, isso não mudava nada, salvo talvez minhas relações com papai. Desde que passou a não ser mais meu pai, passei a olhá-lo com mais simpatia. Quem sabe o que devem ter sofrido, ele, minha mãe e minha avó, em seu passado judeu, e só Deus sabe a quantos sacrifícios seus eu devia o fato de estar vivo hoje. Meus olhos se encheram de lágrimas. Atirei-me aos pés do toucador, abracei os joelhos de minha mãe e de minha avó.

– Obrigado, mamãe. Devo a você o fato de estar vivo! Obrigado por tudo o que fez por mim, vovó!

– Deixe-me em paz, não vê que estou colocando os cílios postiços!

Minha mãe me repeliu e minha avó, frágil como ela só, me empurrou para a porta com os gestos de quem expulsa um cão.

⁓

Desci ao primeiro andar em busca de Nicanor. Raoula Borges já devia tê-lo informado sobre a conversa com minha mãe. Eu não achava que o fato de ser judeu fosse modificar em alguma coisa nossos planos eleitorais; teria sido absurdo suspeitar que essa família de negros fosse antissemita, mas nunca se sabe. Jamais tínhamos abordado a questão e o problema nunca se apresentou. Quem, de resto, ia imaginar que eu era judeu? Estava indignado com os meus pais. Como se permitiram me ocultar uma verdade que dizia respeito à minha própria identidade? Se eu tivesse sabido disso na minha infância, minha vida não teria sido a mesma. Tentei imaginar a minha obra como sendo a obra de um escritor judeu, mas em vão. Parava sempre no meio do caminho. Quer dizer que meu verdadeiro pai era um suboficial nazista... Bela vingança tinha logrado a senhorita Raoula Borges! Sempre me viu como um ditador nazista em potencial! E qual a melhor prova de meus instintos nazistas do que o modo odioso com que acusei o pobre Miguelito pelo assassinato do embaixador? E a indiferença com que o vi sendo levado com algemas nas mãos? Meus genes dominantes deviam vir de meu pai, e não da raça de Salomão. Mas nada era seguro.

Durante o primeiro dia de minha candidatura, já tinha recebido muitas lições de humildade e talvez tenha sido melhor assim. Não era o caso de pensar que a presidência da República era uma sinecura. Mas nunca imaginei também que fosse um posto onde só se ouvissem injúrias. O modo como fui tratado pelos primos de Sigampa tinha sido humilhante e minha recente condição de judeu me tornava particularmente sensível a esse tipo de vexame. Errei ao aceitar as desculpas de Nicanor e errei ao aceitar a mais mínima culpa na prisão de Miguelito. Não era o caso de me fazer de "escarradeira" de todo mundo, e insisto na palavra "escarradeira". O escritório de meu pai estava vazio. Para onde todos teriam ido? Desci para o térreo já muito agitado. Havia muitos negros entre os convidados, mas nada de encontrar Nicanor. María Abelarda e meu pai não estavam mais por ali. A orquestra atacou o primeiro tango. Alguns casais se formaram. Os negros dançavam como se tivessem nascido numa calçada em Buenos Aires. Os empregados bolivianos, caindo de bêbados e mascando abertamente folhas de coca, passavam com pratos cobertos de canapés que não se tinha como pegar. Todos os que tentavam acabavam com as mãos e a boca pegajosas de doce de leite. Viam-se manchas cor de caramelo em muitas roupas de organdi de membros do corpo consular. Fiquei ali, no meio da pista, com um canapé de doce de leite na mão, enquanto os casais se multiplicavam ao meu redor.

Como não via chegar nenhum conhecido, voltei para o primeiro andar. Perguntei aos guarda-costas de Sigampa onde estava seu patrão. Eles indicaram um salão vazio no fundo de um corredor. Nicanor, na penumbra, estava sentado na única cadeira da sala. Sua semelhança com seu pai era tal que por um instante acreditei que também ele estava morto. Esperei que me falasse alguma coisa, mas não o fez.

– Nicanor... – murmurei bem baixinho, está sonhando?

Não me respondeu. Imaginei que sua cólera e seu desprezo eram tais que não se dignaria nem sequer a me dirigir a palavra. Decidi deixá-lo sozinho. Antes de sair, voltei-me mais uma vez. Ele continuava olhando fixamente para a parede. Disse a mim mesmo que talvez estivesse realmente morto e, inquieto, aproximei-me dele. Passei a mão diante de seus olhos; ele piscou. Falou-me com voz átona, sem desviar o olhar.

– Terminou para nós, meu amigo. O fim da imaginação. A mediocridade ganhou.

– O que você está querendo dizer com isso?

– Quero dizer que meus primos se pronunciaram pela candidatura de Pérez Perkins.

– Mas isso é um absurdo!

– Eu bem sei que é um absurdo e sou o primeiro a lamentar tal escolha; mas não posso fazer mais nada. O Movimento pôs-se em marcha e já investimos muito dinheiro.

– Mas por que Pérez Perkins?

– Você esqueceu que a operação era toda fundada na ideia de um candidato poeta?

– Mas por que Pérez Perkins?

– É o único que temos na mão. E o acaso quis que ele se beneficiasse da enorme publicidade do assassinato do embaixador, de quem era filho adotivo e herdeiro, ao que parece. Meus primos ficaram, além disso, muito impressionados com a filha de Borges – todos conhecem a obra de seu pai – e pensam que ela daria uma primeira dama mais plausível do que María Abelarda. Mas o que os fez decidir, naturalmente, foi o aspecto servil de Pérez Perkins, muito mais fácil de manipular do que você com suas crises histéricas!

Sentei-me sobre meus calcanhares num canto da sala; permanecemos um longo instante em silêncio.

— Mas e se tentássemos mesmo assim? Os argentinos não são talvez tão antissemitas quanto se pensa...

— Está brincando? Eu, negro como sou, tenho mais chances do que você de ganhar uma eleição!

— Mas talvez você e eu...

— Os dois juntos, seria a aliança do judeu cego com o negro paralítico. Nada mais.

Ele estava certo, era evidente. Achei que devia lhe apresentar minhas desculpas. Mas não ia, absolutamente não ia, me desculpar por ser judeu.

— Espero que esse episódio não estrague nossa amizade, Nicanor. E que você continue a me convidar à sua casa, para conversarmos sobre o significado do mundo longe das tensões que ele engendra. Posso decepcioná-lo, mas nunca desejei realmente tornar-me presidente. Entrei no seu jogo para lhe ser agradável, porque supus que era recíproco.

— E era! — respondeu secamente. Os frutos da imaginação só me interessam se são suscetíveis de se transformar em realidade, e seus frutos estão mortos na própria árvore. Toda a sua obra, agora, me parece tão derrisória quanto o aforismo de um homem de letras parisiense.

— Eu ocupei muito espaço em sua imaginação. Minha obra, no fim das contas, não é mais do que um aforismo de um homem de letras parisiense.

Com essas últimas palavras, eu o deixei. Lembrei-me do pequeno revólver de Raoula Borges que María Abelarda confiscou de Pérez Perkins naquele mesmo dia, pela manhã. Ele ainda devia estar em sua bolsa. No patamar, cruzei com minha mãe, que trajava um vestido azul-turquesa com uma cauda de seis metros que minha avó mantinha erguida. Quase as derrubei.

– Onde se escondeu esse Miguelito Pérez Perkins? Já é hora de abrir o baile!

– Não sei! Estou procurando por María Abelarda, mamãe!

– Ela está no meu quarto, mas aconselho que não a incomode no momento, ela está muito ocupada!

Por uma janela do terceiro andar, dei uma espiada no pátio do consulado. Muitos carros das equipes de televisão já se encontravam estacionados entre os escombros do incêndio. Os técnicos estavam descarregando seus equipamentos e cabos.

Na antecâmara de minha mãe – fora a desordem habitual –, vi, no chão, o vestido que María Abelarda estava usando havia pouco, bem como seus sapatos, dispostos ao lado de um enorme par de sapatos que tinha sido lançado sobre uma roupa que reconheci como sendo a de Salâme Sigampa. Mas a bolsa não estava por ali. Ao me aproximar, ouvi os gemidos característicos de María Abelarda em seus momentos de abandono. Entreabri a porta bem de mansinho. A bolsa de María Abelarda estava no chão, ao lado da cama, ao alcance de sua mão. À luz da lua, eu distinguia a silhueta do casal; a imensa massa negra de Salâme subia e descia sobre a brancura de María Abelarda, perdida entre os lençóis. O cheiro açucarado da raça negra me pareceu repugnante pela primeira vez na vida. Arrastei-me até a cama e deslizei para baixo dela. O estrado imprensava por vezes minha orelha direita, mas era o único modo de alcançar a bolsa. Nem um nem outro suspeitou de minha presença. Consegui finalmente puxar a bolsa e abri-a com cuidado extremo. O revólver estava ali, e carregado. Recoloquei a bolsa no lugar com infinitas precauções e voltei caminhando de costas até a porta.

Já no corredor, encontrei-me nariz a nariz com meu pai.

— Como assim, você ainda está aí? Você desacreditou para sempre o consulado do Uruguai! É a invasão africana! Os diplomatas dos países latino-americanos estão horrivelmente chocados, você colocou meu posto em risco! E ainda perdeu a candidatura para esse capacho do Pérez Perkins! Como ousa aparecer em público depois de tudo isso!

— Peço-lhe desculpas, papai.

— Desculpas? Era bem um pontapé na b... o que você merecia, não?

E uniu a palavra ao gesto; depois me pegou pela manga do paletó e pelo fundo da calça e me atirou escada de serviço abaixo. Continuou a me perseguir, saltando de quatro em quatro degraus, até a cozinha, que atravessamos em grande velocidade diante de empregados bolivianos que morriam de rir. Contornei o quarteirão de casas para voltar à entrada principal do consulado. Ali, apesar do frio, uns vinte e poucos empregados carregavam cartazes, andando em círculos. Lia-se: "Internacional Argentina. Os Frutos da Imaginação." Apagaram meu nome, que estava impresso, e o substituíram por um "Pérez Perkins" rabiscado às pressas.

Deslizei pelo pátio do consulado entre os técnicos de TV. Depois, tornei a entrar na casa e me misturei à multidão de convidados.

A orquestra tinha acabado de tocar as últimas notas de "La Cumparsita". Os casais se desfaziam lentamente, o calor era tórrido. Todo mundo esbarrava em todo mundo sem saber bem aonde ir e, aparentemente, não estavam mais servindo bebidas. Os empregados, que já não se aguentavam em pé, derramavam suas bandejas de doce de leite. Havia doce de leite por toda parte, sobre o plastrom das camisas e nos cabelos das mulheres. Eu me perguntava se ia aguentar por muito tempo esse inferno, quando os projetores iluminaram o primeiro andar. Então vimos surgir, no alto da escada, Miguelito Pérez Perkins, muito intimidado, ao lado de Raoula Borges, que tinha um ar radiante e segurava um buquê de magnólias. Uma ovação os saudou. Alguém lhe estendeu um microfone, ele limpou a garganta e fez muito barulho com seus papéis antes de encontrar os óculos.

– Lerei um de meus poemas.

Com sua voz delicada de aluno aplicado, começou a ler os primeiros versos de uma de minhas odes mais sublimes, "As alturas do Aconcágua".

– "Argentina, do alto desse vulcão, a Eternidade te contempla!"

Se ainda faltasse alguma prova da fraude de que eu tinha sido vítima, aí estava ela.

Tirei o revólver branco, de cabo de nácar, do bolso, mas nem tive tempo de atirar; uma bala, vinda sem dúvida de um dos guarda-costas de Sigampa, atingiu-me bem no meio da cabeça. Minha última visão foi a franja de Miguelito Pérez Perkins esvoaçando de surpresa.

UM ARGENTINO DE PARIS,
por Alvaro Costa e Silva

No Brasil pouca gente conhece Copi. E mesmo na Argentina, onde nasceu, foi só a partir dos anos 1990 que sua obra passou a ser de novo traduzida (escrevia, de preferência, em francês) e reeditada, sob o impacto de um livro de César Aira, singelamente intitulado *Copi*, de 1991, que transcrevia quatro conferências dadas três anos antes para um público não superior a vinte alunos no Centro Cultural Ricardo Rojas, da Universidade de Buenos Aires. Apenas na Argentina um rápido curso, do tipo "como ler fulano", e um pequeno mas instigante volume, de pouco mais de cem páginas, conseguem a façanha de redescobrir um autor vital. Mandá-lo de volta para o limbo será difícil, e esta edição em português, com tradução do poeta Carlito Azevedo, de dois de seus relatos – *O uruguaio* e *A Internacional Argentina* – é prova disso.

Raúl Natalio Roque Damonte Botana nasceu em Buenos Aires, em 22 de novembro de 1939. A origem do apelido Copi – que se tornaria identidade literária – é contraditória. O escritor afirmou no livro *La Guerre des pédés* que se trata de um anagrama de Pico. Ele mesmo, porém, explicou em entrevistas que era assim que sua avó materna o chamava na infância. A hipótese é confirmada pelo crítico de teatro Osvaldo Pellettieri no prólogo à edição argentina da peça *Une Visite inopportune*: quando criança, ele era tão branco que parecia "un copito de nieve". O certo é que ficou Copi (pronuncia-se Côpi), um nome nada convencional para um autor idem.

Era neto do uruguaio Natalio Botana, fundador-proprietário do jornal *Crítica* (1913-1962), que revolucionou a imprensa argentina ao misturar sensacionalismo e intervenção política à qualidade do texto (em suas páginas colaboraram Jorge Luis Borges e Roberto Arlt). A avó, Salvadora Medina Onrubia, era poeta e dramaturga de ideais anarquistas que, além de lhe fornecer o pseudônimo, exerceu importante influência na formação do escritor. Completam o lado familiar – que Copi retrataria sem pena no livro *La Vida es un Tango*, um dos poucos que escreveu em espanhol, como um bando de drogados, racistas e pedófilos – o pai jornalista e político Raul Damonte Taborda, que primeiro foi homem de confiança do general Perón para depois se tornar ferrenho adversário dele e cair em desgraça, e a mãe Georgina, tratada pela alcunha de "China".

Fugindo do peronismo, os Damonte Botana se exilaram primeiro no Uruguai. Com a queda de Perón, retornaram a Buenos Aires, e o pai abriu o jornal *Tribuna Popular* (1955-1958), no qual Copi publicou os primeiros textos e ilustrações satíricas antes de se mudar definitivamente para Paris, em 1962. Só voltaria à Argentina duas rápidas vezes, em 1968 e 1987, tornando-se um "argentino de Paris". O exílio, assim como para muitos autores conterrâneos (de Julio Cortázar a Manuel Puig, de Juan Gelman a Juan José Saer, de Sergio Chejfec a Rodrigo Fresán), foi condição determinante para a realização de sua obra.

Recém-chegado à capital francesa, ganhou a vida vendendo desenhos nas ruas. Logo se ligou ao grupo Teatro Pânico, fundado pelo espanhol Fernando Arrabal, pelo chileno Alejandro Jodorowsky e pelo francês Roland Topor. Ao longo de sua trajetória como dramaturgo, escreveu mais de uma dezena de peças, entre as quais se destacam *Un Angel para la Señora Lisa*, *La Journée d'une rêveuse* (levada aos palcos parisienses em 1968 pelo argentino Jorge Lavelli, amante de Copi), além dos monólogos *Loretta Strong* e *Le Frigo* (que ele próprio representou com êxito). Duas delas, *Cachafaz* e *La Sombra de Wenceslao*, foram editadas postumamente, em 1993. A encenação de *Eva Perón*, fantasia sobre os últimos dias da primeira-dama argentina, interpretada por um ator travestido, sofreu um atentado da direita peronista no Théâtre de l'Épée de Bois, em 1970.

O trabalho de Copi como desenhista começou a ser notado na revista *Le Nouvel Observateur*, na qual criou, em 1964, seu personagem mais famoso: La Femme assise, ou La Mujer Sentada, cuja vida (que pode parecer monótona, mas está longe disso) é manter conversas absurdas com galinhas ou caracóis. No estilo de diálogos que beiram o surrealismo, mantém alguns laços de aproximação com o cartunista brasileiro Fortuna, sobretudo a série de histórias em quadrinhos *Madame e seu bicho muito louco*, publicadas nas páginas do *Pasquim* e das revistas *Bicho* e *Careta*. Com extensa produção de comics, Copi levou sua assinatura para *Bizarre*, *Hara-Kiri*, *Charlie Hebdo*, *Gai-Pied* e *Libération* (França), *Linus* e *Il Giornalone* (Itália), *Tia Vicenta* (Argentina) e *Triunfo* (Espanha).

O escritor, desenhista, ator e dramaturgo morreu de aids em 14 de dezembro de 1987. "Sou tão vanguardista que a doença me atacou primeiro" – disse ele.

Acima escrevi que Copi é pouco conhecido no Brasil. Verdade, mas dou um desconto: ele não é inteiramente desconhecido. Alguns de seus cartuns apareceram na revista *Status*, ao lado de Jaguar e Quino, nos anos 1970. Peças foram encenadas no circuito alternativo de São Paulo, Curitiba, Florianópolis, Salvador, e três delas – *Eva Perón*, *Loretta Strong* e *A geladeira* – enfeixadas em livro da editora 7Letras publicado em 2007, com tradução, respectivamente, de Giovana Soar, Ângela Leite Lopes e Maria Clara Ferrer. Em 2011, a Confraria do Vento editou *Copi: transgressão e escrita transformista*, de Renata Pimentel, excelente ensaio que é fruto de uma tese de doutorado na Universidade Federal de Pernambuco. E no romance *As fantasias eletivas*, de Carlos Henrique Schroeder, lançado em 2014, não é coincidência que o personagem travesti que detona a trama chame-se Copi.

L'Uruguayen, publicado em 1972, é seu primeiro relato; *L'Internationale Argentine*, de 1988, o último. Portanto este livro une as duas pontas da prosa do autor, que ainda compreende *Le Bal des folles* (1977), *La Coté des rats* (1979), *La Vida es un Tango* (1981), *La Guerre des pédés* (1982), além de duas coletâneas de contos: *Un Lagouste pour deux* (1978) e *Virginia Woolf a encore frappé* (1984).

O uruguaio é uma novela curta que na edição em espanhol traz a seguinte dedicatória: "Ao Uruguai, país onde passei os anos capitais da minha vida, a humilde homenagem deste livro, escrito em francês, mas pensado em uruguaio." Trata-se de uma carta, endereçada ao Mestre, por alguém que assina Copi, num único e só parágrafo de ação vertiginosa, mas linguagem clara e concisa. O remetente não explica por que está naquele lugar tão estranho; apenas narra. Uma sequência veloz e desconcertante de fatos, a qual, não por acaso, lembra as histórias em quadrinhos. E tem-se um pedido inusitado – que soa como ordem: tudo o que vai sendo lido deve ser apagado com borracha ou riscado com caneta a cada linha que acaba. Ou seja, o que interessa é o que *vai acontecer*. Com Copi, ligamos o modo urgente de leitura.

Na proliferação de eventos desencadeada com o soterramento do Uruguai pela areia da praia, o tempo do relato foge ainda mais, levando o leitor nas asas de uma imaginação desvairada. Num trecho, o narrador mais parece se transformar em Harpo Marx, de cuja longa capa de chuva era capaz de sair qualquer coisa: "Vi, à minha esquerda, meio coberto de areia, um frango assado. Nem preciso dizer que não desperdicei a ocasião (passei seis dias sem comer) e corri até o mar para lavá-lo um pouco da areia. Devorei-o antes mesmo de sair do mar, entre as ondas."

Depois do cataclisma, o país é pouco a pouco redesenhado no papel, passando como num passe de mágica a existir de novo. Seus habitantes voltam à vida como zumbis, recordam-se apenas das últimas ações que fizeram antes de morrer, ou das últimas palavras que disseram, e as repetem sem parar. Em meio ao caos, entra em cena – voando! – o papa argentino (lembremos que o livro é de 1972), que se revela sodomita e traficante de escravas sexuais. A urgência da narrativa atinge o máximo.

Em seu já famoso livro, César Aira aproveita *O uruguaio* para formular a teoria segundo a qual "a arte da narrativa decai na medida em que incorpora a explicação". Copi, portanto, é um narrador altíssimo.

É engraçado até dizer chega. (Aqui cabe um parêntesis para afirmar que a boa literatura pode, sim, ser engraçada; os risos, ou mesmo as gargalhadas do leitor não a desmereçem. Pelo contrário.) *A Internacional Argentina*, a rigor, é um thriller político. Mas não só: é também uma comédia que desnuda o delírio das conspirações, deixando aquela pontinha de dúvida: "pero que las hay, las hay."

Copi é um escritor velocista. De novo, o ritmo da narrativa é frenético, auxiliado pelo uso de diálogos ágeis e ácidos. Em alguns momentos quase nos sentimos dentro de uma *screwball comedy* hollywoodiana dos anos 1930. Como é possível que o embaixador argentino tenha um puma como animal de estimação, levado pela coleira para cima e para baixo, e que, num descuido, o bicho seja abatido a tiros numa cozinha por dois guarda-costas?

No mundo particular das novelas de Copi, quanto mais caricaturais ou improváveis o personagem e suas ações, mais críveis vão se tornando aos olhos do leitor. O vilão (se assim podemos chamá-lo) de *A Internacional Argentina* é Nicanor Sigampa, um "negro colossal" que pertence à aristocracia argentina. Milionário, vive em Paris aparentemente jogando dinheiro fora. Seu objetivo secreto é eleger o próximo presidente do país, e o candidato escolhido é o poeta-narrador da novela – que, mais uma vez, leva o nome Copi. Como fachada para o projeto político, Sigampa se dedica a financiar as atividades do grupo de compatriotas exilados, entre os quais artistas como Mafalda Malvinas – "a vanguarda da pintura com maçarico" –, Miguelito Pérez Perkins, o adido cultural da embaixada com "bigode de anchova", e Raoula, a "pérfida" filha bastarda de Borges. (César Aira nota que o escritor deu à personagem seu próprio nome de batismo.)

Mais do que uma sátira à tradição da literatura de exílio, o livro é uma provocação, em forma de grande arte, feita por um exilado sem remédio: "Eu também era um personagem de tango e talvez um dos mais típicos, aquele que, mesmo permanecendo 'ancorado em Paris', vive com o coração em Buenos Aires." A mesma Buenos Aires, terra de escritores, que, nas palavras do crítico Daniel Link, hoje consagra Copi como "um dos acontecimentos mais originais da literatura argentina dos últimos vinte anos".

Impressão e Acabamento:
GRÁFICA STAMPPA LTDA.
Rua João Santana, 44 - Ramos - RJ